LE ROMAN MARRON :

ÉTUDES SUR LA LITTÉRATURE MARTINIQUAISE CONTEMPORAINE

Richard D. E. Burton

LE ROMAN MARRON :

ÉTUDES SUR LA LITTÉRATURE
MARTINIQUAISE CONTEMPORAINE

L'Harmattan
5-7, rue de l'École Polytechnique
75005 Paris - FRANCE

L'Harmattan Inc.
55, rue Saint-Jacques
Montréal (Qc) - CANADA H2Y 1K9

AVANT-PROPOS

L'ouvrage que voici ne prétend pas être une étude complète de la littérature martiniquaise - et encore moins antillaise - des derniers vingt-cinq ans. En premier lieu, il ne s'occupe que du roman, et laisse tout à fait de côté ce qui s'est produit à la Martinique comme théâtre (surtout les pièces d'Ina Césaire) et comme poésie (Henri Corbin, Monchoachi, Joby Bernabé, sans parler d'Aimé Césaire et des ouvrages strictement poétiques d'Edouard Glissant). En deuxième lieu, parmi les nombreux romanciers (et les moins nombreuses romancières) martiniquais, il ne retient que trois noms - Edouard Glissant, Patrick Chamoiseau, Raphaël Confiant - certes les plus importants, mais dont le prestige ne devrait pas cacher, comme il le fait un peu trop souvent, d'autres romanciers dont l'oeuvre, sans doute d'une moindre envergure, possède pourtant des qualités pour le moins solides : Xavier Orville et le regretté Vincent Placoly surtout, mais aussi Suzanne Dracius-Pinalie, Ina Césaire encore, Roger Parsemain, Michael Ponnamah et Alain Rapon, sans oublier Tony Delsham dont l'oeuvre volumineuse est si riche de fines observations sur la Martinique contemporaine et qui jouit en outre d'un public local bien autrement plus vaste que tous les autres réunis. En troisième lieu, il s'agit ici d'une étude essentiellement thématique de l'oeuvre romanesque de Glissant, Chamoiseau et de Confiant, la question, pourtant cruciale, du langage - ou plutôt des langages - du roman martiniquais contemporain ne recevant qu'une attention passagère, en attendant l'étude d'ensemble, ébauchée par Marie-Christine Hazaël-Massieux (1993), dont, de plus en plus, la nécessité s'impose. De la multiplicité de thèmes qui s'enchevêtrent dans les textes des trois auteurs discutés, nous avons choisi de privilégier celui du marronnage ; la figure du marron et le phénomène du marronnage en ses multiples formes nous semblant structurer la plupart des ouvrages que nous traitons ici au point de constituer un véritable mythe de l'imaginaire martiniquais, à mettre à côté de ceux de la Mère-Patrie, du Bon et du Mauvais Blanc, de l'Impératrice et de la Doudou que nous avons analysés dans un précédent ouvrage (voir Burton 1994). C'est ce mythe du marron et du marronnage - que nous distinguons du marronnage historique en le dénommant, à la suite d'autres critiques (voir Jolivet 1987), le marronnisme - qui sert de fil directeur dans la trame de cet ouvrage, fil auquel se rattachent deux autres thèmes clés de l'imaginaire martiniquais contemporain : la mangrove (en opposition à l'image de l'arbre, chère à l'école de la Négritude) et le carnaval, conçu comme l'expression par excellence de cette 'totalité kaléidoscopique' (Bernabé et al. 1989 : 28) qu'est la Créolité. Dans un premier temps, nous examinons la formation, à la Martinique, de ce que nous appelons le mythe marronniste, quitte à le confronter d'emblée à ce que nous croyons être la réalité historique du phénomène marron à la Martinique et ailleurs (Chapitre I). A partir de cette nécessaire mise au point, nous passons à une analyse des thèmes marronnistes chez Edouard Glissant (Chapitre II), dont l'oeuvre fournit en plus l'instance la plus subtile du passage d'une pensée de la racine (ou de l'arbre) à une pensée du rhizome (ou de la mangrove) en quoi s'incarne, selon nous, la révolution épistémologique qui oppose l'idée de l'Antillanité et de sa dérivée, la Créolité, à celle, désormais dépassée, de la Négritude (Chapitre III). Dans les deux chapitres qui suivent, nous étudions l'oeuvre romanesque de Patrick Chamoiseau, en focalisant, dans *Chronique des sept misères* et *Solibo Magnifique*, la figure composite du marron-djobeur-driveur-conteur (Chapitre IV) et, dans *Texaco*, la relation entre espace urbain, francité et créolité (Chapitre V) ; un dernier chapitre aborde, à partir de l'image du carnaval, l'univers romanesque foisonnant de Raphaël Confiant. Ayant critiqué ailleurs (voir Burton 1995b) le nostalgisme du mouvement de la Créolité, nous n'entendons pas ici revenir sur la question : les amateurs de polémique littéraire trouveront réuni en appendice un échange de 'lettres ouvertes' entre Raphaël Confiant et l'auteur.

Le Chapitre IV a d'abord paru en anglais dans *Callaloo*, 16, 2 (1993) et est repris, légèrement modifié, ici avec l'aimable permission du Johns Hopkins University Press. Je suis reconnaissant au British Academy et au School of African and Asian Studies à l'Université de Sussex (Brighton, Angleterre) et à son doyen, David Robinson, qui ont financé la préparation du manuscrit, laquelle a été assurée matériellement par Sue Emberton, Dany Marx et Karel Vachta. Merci à tout le monde.

R.D.E.B.

INTRODUCTION

DU MARRONNAGE AU MARRONNISME : NAISSANCE
D'UN MYTHE MARTINIQUAIS

S'il y a un spectre qui hante l'imaginaire martiniquais, c'est bien celui du Nègre Marron : à peine un domaine de la vie intellectuelle ou artistique où il ne fasse son apparition - ou plutôt sa disparition - obligatoire. Regardons d'abord vers la littérature. Dès les premiers romans martiniquais de l'après-guerre - passons sur leurs antécédents, essentiellement békés, du dix-neuvième et du premier vingtième siècles - c'est bien le marronnage qui en fournit non seulement personnages, situations et intrigue romanesque mais aussi le soubassement idéologique qui les sous-tend. Qu'il s'agisse du *Bagamba, nègre marron* (1947) de René Clarac, du *Dominique, nègre esclave* (1948) de Léopold Sainville ou du *D'Jhébo, le Léviathan noir* (1956) de César Pulvar, romans aujourd'hui sans lecteurs, tous relégués aux oubliettes de la Bibliothèque Schoelcher, les héros éponymes, qu'ils soient de naissance africaine (comme Bagamba et D'Jhébo) ou créoles (comme Dominique), en sont des êtres nobles et romantiques tant par le physique que par le moral, des réfractaires à part entière qui appartiennent tous, comme Dominique, 'à la lignée millénaire et toujours renouvelée des parias qui refusent la misère de leur condition' et portent en eux 'toute vibrante, la dignité de l'homme noir' (Sainville 1978 : 19). Doué d'une 'fierté et d'un orgueil naturels et qu'il ne cherchait pas à cacher', Dominique ressemble aux 'héros célèbres des grands romans' avec ses 'muscles puissants et saillants sous une peau brune de sucre candi', et 'ni ses lèvres épaisses, ni son nez épaté ne nuisaient à sa beauté, à la noblesse et à la virilité de son visage dont la pureté comme la forme allongée provoquaient les regards prolongés, quoique dissimulés, des femelles blanches que, par hasard, il croisait sur l'habitation ou dans le chemin menant au bourg' (25); de même il y a chez Bagamba 'une fierté noble et triste, certes, dans cette façon qu'il avait de regarder plus haut que la tête, de balancer, si peu, le torse, de se croiser les bras d'un geste lent' (Clarac 1947 : 32). En fuyant la plantation pour les mornes, ces nègres romantiques et romanesques obéissent tous à une soif primordiale de liberté, tel Dominique qui 'voulait vivre, il voulait être fier, il ne voulait pas être broyé par la machine, il voulait être lui' (Sainville 1978 : 28). Et, surtout, les Nègres Marrons de la première littérature martiniquaise ne sont pas des résistants solitaires. Tous ils fondent ou réintègrent une communauté marronne nombreuse, comme D'Jhébo qui, 'dans l'indépendance africaine, dans la captivité comme dans l'esclavage, [..] avait donné d'indiscutables preuves de la supériorité sur le commun des nègres. En marronnage maintenant, il avait recruté en huit mois [nous sommes au milieu des années 1840], plus de douze cents nègres marrons. Et avec ces douze cents nègres répartis en deux secteurs, il tenait en échec les colons blancs et l'autorité coloniale. Car il les tenait en échec, effectivement.' (Pulvar 1956 : 153) Fort de son armée marronne qu'il tient cachée dans 'les hauteurs boisées des Pitons', D'Jhébo se promet de foncer sur Saint-Pierre et de prendre aux Blancs leur capitale : 'Alors on établirait sur tout le territoire de l'île une grande confédération des tribus nègres où la race recommencerait à fleurir dans l'existence farouche qu'elle avait jadis connue sur la terre africaine' (145-6). Il n'y a guère de doute que pour Pulvar, ainsi que pour Clarac (dont le roman se situe pourtant au début de la colonie française, vers 1660), ce ne soient les nègres marrons, plutôt que les esclaves eux-mêmes, qui représentent le principal foyer de résistance à l'esclavage, au point que, faisant fi de toute évidence historique, il les rend responsables de l'insurrection du 22 mai 1848 qui, comme on sait, a précipité l'abolition définitive de l'esclavage à la Martinique. La situation chez Sainville est plus complexe. D'abord son Dominique est un esclave créole, né à la Martinique et revendu adolescent à la Guadeloupe où, avant de se marronner, il apprend à lire, l'instruction étant pour lui 'déjà une libération, car elle était à la fois évasion et connaissance' (Sainville 1978 : 27). En plus, la communauté marronne qu'il rejoint dans les mornes n'est pas exempte des scories de l'esclavage dans la mesure, surtout, où son chef Azaïs est arrivé à en faire une 'manière de république autoritaire, dégénérescence de l'ancienne république'. Il s'ensuit qu'à l'échelle des marrons vivaient et prospéraient les intérêts, les sentiments, les vices, les vertus, qui formaient le complexe psychologique et social de la grande société de laquelle ils s'étaient mis en marge; mais il y manquait l'esclavage et l'avilissement' (58). Non seulement le camp marron est 'un microcosme qui reflétait les tendances, les passions, et parfois, les oppositions d'intérêt de la grande société' (81), il ne saurait en aucun cas être tout à fait indépendant de celle-ci, des besoins d'ordre économique et démographique exigeant un continuel va-et-vient, pacifique ou guerrier selon les circonstances, entre les mornes et la plaine. C'est au cours d'une de ces descentes 'en bas' que Dominique est repris et remis en esclavage, et ce sera désormais sur la plaine qu'il mènera sa lutte acharnée contre la servitude. Mais qu'elle soit menée à partir des mornes par les marrons ou sur la plaine même par les nègres à houe, la résistance chez Sainville et Pulvar aboutit à un même résultat heureux : l'assimilation. *D'Jhébo* et *Dominique* se terminent tous deux avec la proclamation de la Deuxième République à la Martinique et avec l'annonce, symétrique, de la prochaine émancipation des esclaves, suivies du récit de l'insurrection anti-esclavagiste du 22 mai 1848 à Saint-Pierre, survenue, on le sait, *avant* que la nouvelle de l'abolition officielle de l'esclavage, promulguée en France le 26 avril, ne soit parvenue à la Martinique. Aucune opposition, pourtant, dans ces premières années de la départementalisation, entre le 26 avril et le 22 mai, à l'encontre de ce qui se passera pour la 'génération de 1960'.... Loin de se contredire, marronnisme et assimilationnisme, voire négritude, marxisme et schoelchérisme, se complètent et se renforcent réciproquement.[1]

D'une toute autre qualité littéraire, bien sûr, toute l'oeuvre poétique et dramatique d'Aimé Césaire porte en filigrane la trace du Nègre Marron qui s'enfuit du monde habitationnaire pour s'enfoncer dans les forêts de la nuit en quête d'une négritude reniée et refoulée. Si le Rebelle d'*Et les chiens se taisaient* (1946) est bel et bien un nègre de plantation, il reconnaît comme ses frères 'les marrons le mors au dent [..] les pieds hors clôture et dans le torrent' (Césaire 1989 : 117) qui ont su s'échapper d'une plantation qui s'étend maintenant jusqu'aux confins de l'univers connu. Où donc s'enfuir sauf dans les

---

[1] Pour une mise au point magistrale de tout le débat autour de la signification de '1848' à la Martinique, voir de Lépine 1978.

mornes du non-rationnel où '2 et 2 font 5' et où 'l'arbre tire les marrons du feu' (*Cahier d'un retour au pays natal*, Césaire 1983 : 27-8) pour les subtiliser à l'architecte aux yeux bleus' (*Et les chiens se taisaient*, 8) dont le regard tout-puissant domine l'espèce de plantation panoptique qu'il a construite. Mais même au fond des bois le marron ne peut s'échapper à ce vent mauvais qui souffle

> nègre nègre nègre depuis le fond
> du ciel immémorial
> un peu moins fort qu'aujourd'hui
> mais trop fort cependant
> et ce fou hurlement de chiens et de
> chevaux
> qu'il pousse à notre poursuite toujours
> marronne
> 'Corps perdu' (Césaire 1961 : 81)

Il faut toujours au marron remarronner, et puis remarronner encore, jusqu'aux limites du connaissable dans une tentative peut-être vaine de s'arracher aux dogues que l'Occident a lancés à ses trousses. En plus il faut *tout* marronner - langage, poésie, philosophie, culture - si l'on veut s'échapper à une hégémonie blanche apparemment ubiquitaire et omnipotente, d'où le désespoir qui pointe dans la question lancinante adressée par Césaire à René Depestre : 'marronnerons-nous Depestre marronne-rons-nous ?' ('Le Verbe marronner', *Noria*, Césaire 1983 : 368) 'Rions buvons et marronnons', soit, mais reconnaissons aussi que le 'chien blanc du nord' (*Cahier*, 1983 : 63) reste toujours là et qu'il faudra plus que quelques pierres et imprécations pour lui persuader de 's'en aller' :

14

va-t-en chien des nuits va-t-en
inattendu et majeur à mes tempes
    tu tiens entre tes crocs saignante
une chair qu'il m'est par trop facile de
reconnaître
'Va-t-en chiens des nuits', *Ferrements*
(Césaire (1960 : 25)

C'est pourtant à Edouard Glissant qu'il revient d'avoir le premier tenté de systématiser le thème du marronnage et d'en faire la clef de voûte de toute une vision de l'histoire martiniquaise et, plus largement, antillaise. Le projet de Glissant pourrait se résumer comme un tentative de restaurer à la position centrale qui lui appartiendrait de droit l'être marginal que la représentation populaire s'obstine à traiter en 'croquemitaine scélérat dont on menace les enfants', de faire de celui que 'les colons et l'autorité (aidés de l'Eglise)' ont su réduire en 'bandit vulgaire' aux yeux du peuple ce qu'en vérité il était et sera toujours : 'le seul vrai héros populaire des Antilles, dont les effroyables supplices qui marquaient sa capture donnent la mesure du courage et de la détermination. Il y a là un exemple incontestable d'opposition systématique, de refus total'. (Glissant 1981a :104) A partir du *Quatrième siècle* (1964), ce qui n'était que marge dans l'histoire 'officielle' du pays - les mornes, la forêt - devient le centre d'une nouvelle contre-histoire fondée sur l'hypothèse d'un 'Marron primordial' (1975 : 189) qui, dès son arrivée de l'Afrique, rompt inconditionnellement avec l'ordre esclavagiste pour s'enfuir dans les mornes alors qu'un autre arrivant sur le même bateau restera docilement

15

croupir sur la plaine. C'est de l'opposition primaire entre cet 'ante-Longoué' dissident et le passif mais pourtant obstiné 'ante-Béluse' (1993 : 93) que Glissant tirera l'essentiel de sa réécriture de l'histoire de son pays, histoire dont le binarisme originel sera compliqué et brouillé au fur et à mesure des générations suivantes sans jamais se déconstruire ni se résoudre tout à fait. Dans ce va-et-vient trois fois séculaire entre les mornes et la plaine, ce seront toujours ceux-là qui garderont la primauté comme foyer de résistance ouverte alors que la plaine est vouée, de jour en jour et d'année en année, à une pratique de résistance, ou plutôt d'opposition[2], détournée qui est elle-même 'une forme de marronnage' (1981a : 73), mais à l'intérieur du 'système'. En tentant de recentrer l'histoire martiniquaise sur un phénomène qui lui était, en réalité, assez marginal (voir le chapitre suivant), Glissant est amené, selon nous, à en fausser sérieusement le sens, comme nous chercherons à notre tour à le démontrer dans la première des deux études que nous consacrons à son oeuvre (voir Chapitre II).

Dans la mesure où il s'inspire plus ou moins directement de l'idée de l'Antillanité élaborée, à partir de 1960, par Edouard Glissant, le mouvement de la Créolité a, dès ses premières expressions littéraires et théoriques parues vers la fin des années 80, pris le marronnage comme axe de référence fondamental, mais avec une différence d'optique qui le distingue

---

2   Pour la distinction, que nous devons à Michel de Certeau, entre 'résistance' et 'opposition', voir Chapitre IV infra. Pour la 'pratique du détour', voir Glissant 1990 : 83.

assez nettement du 'mythe' glissantien du marron. Pour Raphaël Confiant et pour Patrick Chamoiseau, surtout, ce n'est plus le 'grand' marron - celui qui, à l'instar de l'ante-Longoué et de ses descendants, se retranche de façon inconditionnelle et permanente dans les mornes - qui représente le 'héros' de l'histoire antillaise, mais bien celui qui, comme l'ante-Béluse, reste dans la plaine et qui, au coeur même de l'ordre esclavagiste et plus tard habitationnaire, en brouille les structures par un jeu oppositionnel astucieux qui lui permet de se ménager des zones de liberté ambiguë dans les interstices d'un système qui reste, pour sa part, intact. Dans cette nouvelle perspective, 'l'opaque résistance des nègres marrons bandés dans leur refus' (Bernabé et al 1989 : 37) a moins d'importance que la 'résistance toute en détours et en patiences' (41) qui se pratique sur la plaine et dont le spécialiste est le conteur créole 'qui pourtant n'a rien du Nègre marron' et dont l'art, tout fait de dissimulation et de détours, consiste, précisément, à cacher un message subversif sous des dehors innocents (voir Chamoiseau et Confiant 1991 : 59). Ou bien ce seront tous ces êtres qui, tout en restant esclaves, ont su se tailler des marges de liberté aux alentours de la plantation et qui ont investi une zone interlope entre habitation et mornes : libres de la savane ils jouissent d'une liberté de fait grâce à l'indifférence ou à la complicité et des maîtres et des esclaves, 'petits' marrons qui s'obstinent à 'tourner' autour de la plantation et dont la vie se fait d'une suite continuelle de fuites et de retours, enfin quimboiseurs, séanciers et autres 'mentors' qui, eux aussi, habitent les interfaces entre les mornes et la plaine. C'est ainsi que 's'il y avait des marrons dans

17

les mornes, il y avait aussi des nègres en marronnage au mitan même des bitations' (Chamoiseau 1992 : 63) de sorte qu'une 'grande part des esclaves n'a pas été esclave. Riches d'une dignité secrète, ils ont souvent, *et mieux que bien des Nègres marrons*, amorcé ce qu'aujourd'hui nous sommes'. (Chamoiseau et Confiant 1991 : 61, c'est nous qui soulignons) L'esclavage aboli, ce 'marronnage quotidien obstiné' (Confiant 1993 : 171) continue à se pratiquer non seulement sur l'habitation mais encore, et même surtout, dans la ville où les marrons se muent en djobeurs et driveurs et les marronnes, elles, en pacotilleuses : ce sont ces formes de marronnage intra-urbain que nous examinons dans notre chapitre sur *Chronique des sept misères* et *Solib Magnifique*, quitte à les reprendre, dans une perspective plus large, dans le chapitre sur *Texaco* qui suit (Chapitres IV et V).

* * * * * * * *

Suffit, pour l'instant, pour la littérature martiniquaise dans laquelle il n'est guère surprenant, après tout, de trouver le Nègre Marron promu au niveau de mythe ou au moins de point de référence emblématique. Passons à quelques autres domaines de la vie intellectuelle martiniquaise si riche et demandons d'abord au sociologue André Lucrèce, auteur du très intéressant *Société et modernité. Essai d'interprétation de la société martiniquaise* (1994), comment, effectivement, il interprète cette société qui est la sienne, et revient, de façon quasiment automatique, l'idée du marron et du marronnage :

18

De fait, la société martiniquaise est une société duelle, mais non duale, au sens où les deux systèmes qui la forment ne répondent pas au principe de contradiction irréductible du principe de dualité. Au fond, ces systèmes s'admettent mutuellement et se tolèrent même s'ils s'affrontent périodiquement, exactement comme par le passé lorsque la société esclavagiste a été obligée de composer avec le marronnage. Mieux, ces systèmes s'interpénètrent sans se confondre. (Lucrèce 1994 : 15-16)

Très dans la lignée de Glissant (dont Lucrèce a été un des collaborateurs à l'Institut Martiniquais d'Etudes et sur *Acoma*), le 'système d'action' propre à une des composantes de cette société 'duelle mais non duale' - la formule est excellente - est conçu comme prolongement ou remaniement selon les conditions modernes de 'cette culture de la ruse qui procède du marronnage, c'est-à-dire de cet art de survie élaboré dans une situation de fuite, consécutive à la violence quotidienne de l'esclavage.' 'Hors l'habitation', continue Lucrèce, 'toute la socialisation qui en résultera sera une socialisation du détour, faite de vigilance vis-à-vis du normatif, de décalage, de déplacement, de transfiguration, de dédoublement, de raffinement de la ruse' (16). Donc le ou la bénéficiaire des différentes allocations sociales emploie bel et bien 'l'intelligence rusée née de la culture du marronnage' (53) pour profiter au maximum de l'assistance et pour déjouer 'les représentants de la société formelle' (85) - les assistants et assistantes sociaux et autres

19

régulateurs du 'système' dominant - qui, eux, jouent un peu le rôle de la maréchaussée d'antan chargée de la reprise des fugitifs ou de leurs fameux successeurs post-esclavagistes, les gendarmes à cheval.... De même, une adolescente adonnée ou non aux drogues réussit à 'mener, par une stratégie de marronnage, une vie parallèle marginale, allant jusqu'à la prostitution' (81), alors qu'une masse de chômeurs martiniquais gagnent une vie 'en marronnant par le job', même 'si, en bonne tradition de marronnage, ils sont quelquefois inscrits à l'ANPE' (112); d'ailleurs, 'le job est issu en profondeur de la tradition du marronnage' (110). Et ainsi de suite, avec la conclusion à peine inattendue, que, dans la presque totalité de la vie martiniquaise contemporaine, nous sommes bel et bien 'dans l'espace mental et temporel du marronnage, préservé, malgré la modernité dominante, par le système informel issu de la société archaïque (113).

Regardons maintenant le curieux opuscule de l'économiste Gilbert Bazabas, *Marroner dans le sillage des cyclones*... (1984), où l'auteur entreprend la défense et l'illustration d'une 'économie informelle' surgie aux marges de l'économie habitationnaire formelle sous et depuis l'esclavage. Convaincu 'qu'il faut impérieusement changer l'ordre existant en Martinique' (Bazabas 1984 : 11) et, parallèlement, que 'le Marronnage rythme les rêves et les projets de chacun d'entre nous' (7), Bazabas prétend que le 'trait d'union' entre économie formelle et économie informelle est fourni par la 'petite distillerie des Mornes' qui, elle, est bel et bien un 'effet de Marronnage' en raison, précisément, de 'la répression féroce qui détruisit l'une après l'autre chaque "alambic de l'abondance"'; de plus, 'aujourd'hui encore,

20

l'Economie Informelle est "alambic de notre débrouillardise'" qui permet à ceux qui la pratiquent de 'marroner dans le surplus du Maître', celui-ci n'étant plus l'habitant du temps longtemps mais bien 'l'Etat-Métropole' de la Martinique unidépartementalement régionalisée.... Tout, dans l'économie informelle, est 'invention du marronnage', jusqu'à l'hostilité qu'elle peut susciter chez les travailleurs restés sur la plantation (sc. dans l'économie formelle) dont elle menace les emplois en tant que 'germe d'auto-suffisance'. Il peut arriver au néo-marron de l'économie informelle de 'se marronner lui-même' dans sa quête de '*pratiques secrètes* dans lesquelles parfois il se perd' (36-40). La 'clef la plus importante de notre *décollage*' - on devine le jeu de mots - c'est bien 'de réapprendre à vivre, *vivre le labeur, vivre le repos, vivre la vie collective, vivre des habitudes alimentaires conformes à nos traditions culturelles, recréer les conditions de l'Echange Symbolique*', bref compenser et enrichir l'activité diurne de l'économie formelle par cette 'faculté de récupération consciente qu'offre la nuit' tout comme la nuit a permis au marron de s'évader de la plantation, etc (22-3). Il est facile de voir comment ce 'programme', dans sa confusion même, pourrait rejoindre celui des écologistes de l'ASSAUPAMAR et du MODEMAS[3], avec lesquels le mouvement de la Créolité entretient, comme on le sait, des rapport de symbiose.

---

[3]   Respectivement, l'Association pour la Sauvegarde du Patrimoine Martiniquais et Le Mouvement des Démocrates et des Ecologistes pour une Martinique Souveraine. Pour un manifeste caractéristique du mouvement écologiste martiniquais, voir Garcin Malsa, *La Mutation Martinique. Orientations pour l'épanouissement de la Martinique* (Imprimerie Absalon, 1991).

Dernier exemple de l'apothéose du Nègre Marron dans la pensée martiniquaise contemporaine, c'est bien 'la philosophie du marronnisme moderne' que le peintre et poète René Louise a élaborée dans de nombreux ouvrages dont le *Manifeste du marronnisme moderne* (1990) résume l'essentiel. Prônant l'idée d'un 'métissage culturel' qui n'est pas sans ressembler à celui mis en avant par l'école de la Créolité, Louise l'enracine dans l'expérience des nègres marrons qui, selon lui, 'ont hérité des éléments de culture amérindienne et occidentale sans pour autant rejeter leur propre culture africaine : c'est avec ces éléments qu'ils contribuèrent à créer de nouvelles conceptions culturelles pour s'adapter, en gardant néanmoins le contact avec les esclaves d'habitation qui, par contre, côtoyaient des éléments de culture occidentale, tout en développant des formes de résistance et de marronnage sur l'habitation'. 'Bâtisseurs du nouveau monde', les nègres marrons 'étaient de grands initiateurs dans tous les domaines de la création et de la spiritualité', de sorte que 'c'est dans la structure du grand marronnage que naissent les embryons des premières conceptions esthétiques de résistance, cette structure étant un lieu de création permanente liée à des questions de survie' (Louise 1990 : 14-15). Corollaire, c'est bien dans l'expérience et, surtout, les pratiques culturelles des nègres marrons historiques que le 'marronniste moderne' - l'artiste plasticien, le poète non seulement martiniquais mais antillais, voire latino-américain - doit puiser s'il veut réaliser la totalité de son être : 'Notre marronnage conceptuel n'est autre que la poésie de la résistance intérieure. Le marronniste, c'est aussi celui qui pratique son marronnisme en toute liberté. Il peut s'initier seul au marronnisme moderne, en méditant seul dans la

22

nature, en méditant sur le cosmos, le trajet du soleil et les mouvements lunaires. Le marronniste est en harmonie avec son environnement. Il développe en lui une force intérieure qui se manifeste dans sa créativité énigmatique. Le marronniste cultive l'art du marronnage dans la pensée' (19). Le 'mot d'ordre' de tous les artistes du Nouveau Monde, c'est bien 'le grand marronnage conceptuel' qui peut se pratiquer non seulement dans les sous-bois et sur les mornes de la Martinique mais n'importe où et jusque dans 'les grandes villes, telles New-York, Paris, Londres, Montréal, etc.' qui, 'foyers culturels d'essence multiraciale qui reflètent le métissage culturel de ces villes', 'peuvent être des hauts lieux de synthèse culturelle' (28), d'où, précisément, 'l'aspect universel du marronnisme moderne' (16).

Toutes les versions du mythe du Nègre Marron que nous avons considérées jusqu'ici sont le fait, essentiellement, de l'intelligentsia martiniquaise, et singulièrement de l'intelligentsia martiniquaise anti-assimilationniste, autonomiste et surtout indépendantiste. Pour la 'gauche' martiniquaise, en effet, le Nègre Marron figure une éventuelle pureté africaine ou afro-créole, preuve concrète qu'il est possible de vivre, et non simplement de survivre, *en dehors* du dispositif colonialiste puis assimilationniste, de se créer une extériorité par rapport au pouvoir pour lui opposer une fin de non-recevoir permanent et absolu. Au niveau conscient, le mythe du Nègre Marron rejoint celui, complémentaire et contemporain, du 22 mai pour déclarer qu'en son tréfonds la Martinique a toujours été *autre*, ou au moins autonome, par rapport à la France et que, tôt ou tard, elle le deviendra sur le plan de la souveraineté politique.[4] Moins consciemment, le Nègre Marron figure une protestation essentiellement *virile* contre le monde 'féminisé' de la plantation et de l'ordre assimilé qui lui a pris la relève et, plus profondément encore, la possibilité d'une filiation patrilinéaire (incarnée, par exemple, dans le Marron fondateur d'Edouard Glissant) en opposition à l'univers matrifocal et matrilinéaire de la plaine.[5] Dans les milieux populaires, un puissant mythe du Nègre Marron est également en vigueur, à cette différence près qu'ici il s'agit d'une image principalement sinon exclusivement négative, les colons, les autorités et l'Eglise ayant réussi, selon Glissant (1981a : 104), à 'imposer à la population l'image du Nègre marron comme bandit vulgaire, assassin seulement soucieux de ne pas travailler, jusqu'à en faire dans la représentation

---

4   Ainsi à la Guadeloupe (où un mythe du Nègre Marron fleurit également, et avec beaucoup plus de vraisemblance historique qu'à la Martinique) le militant nationaliste Henri Bernard, qui lui-même a passé quatre années de 'marronnage' devant la police au milieu des années 1980, présente son pays comme 'un pays où l'esprit nègre-marron, enfoui dans l'inconscient collectif populaire, revit' (cité dans Bebel-Gisler 1989 : 141).   Les militants de l'ex-Alliance Révolutionnaire Caraïbe (A.R.C.) se sont aussi proclamés 'Nègres marrons modernes' (ibid.), ainsi que les nationalistes fugitifs Luc Reinette, Henri Amédien, Humbert Marboeuf, Michel-Louis Sidney et autres; dans la plus authentique tradition marronne, Reinette, Amédien et Bernard lui-même se sont réfugiés à Saint-Vincent, où ils ont été arrêtés en juillet 1987 (ibid. 214).

5   Pour la 'féminité' de l'univers habitationnaire, voir Glissant 1964 : 70, et pour la question de la patrilinéarité dans *Le Quatrième Siècle*, voir André 1983.   Pour la représentation de l'assimilation comme 'féminine', voir Burton 1994 passim.

24

populaire le croquemitaine scélérat dont on menace les enfants'.[6] Dégradé depuis l'abolition en quimboiseur ou en hors-la-loi, le Nègre Marron ne cesse pourtant d'exercer une attirance ambivalente sur ceux et celles qui sont restés dans le monde policé de la plaine, témoin l'accueil populaire fait à ces 'marrons modernes' que sont Beauregard et Pierre-Justin Marny dont, nous allons le voir, on retrouve les traces un peu partout dans la littérature martiniquaise contemporaine. 'Héros tutélaire' (Glissant 1981a : 153) d'une certaine tendance politique martiniquaise ou croquemitaine doublé d'un Robin-des-mornes pour les masses populaires, le Nègre Marron habite l'espace imaginaire martiniquais comme le complément nécessaire, et comme l'indispensable antithèse, du mythe de la Mère-Patrie bienfaisante qu'incarnent, chacune à sa façon, les statues jumelles de l'Impératrice Joséphine et de Victor Schoelcher à Fort-de-France[7] : le Nègre Marron est l'Autre de l'assimilationnisme et son double caractère figure et l'allure et le danger d'une rupture

---

6   Selon Glissant (1964 : 129), 'le marron était pour les populations la personnification du diable : celui qui refuse'. Pour quelques exemples, fictifs ou réels, de la peur du marron que les mères martiniquaises inspireraient à leurs enfants, voir Chamoiseau 1988a : 194 et Confiant 1988 : 89 et 1993b : 163.

7   Pour une analyse sémiotique de ces statues, voir Burton 1991. Abstraction faite d'un petit monument au Carbet, il n'y a pas, à notre connaissance, de statue de Nègre Marron à la Martinique, en tout cas rien qui puisse se comparer avec le *Nègre Marron inconnu* devant le Palais National à Port-au-Prince (voir chapitre qui suit).

25

d'avec la Mère-Patrie rebaptisée Métropole. Il n'y a guère, sauf Haïti, de pays à la Caraïbe où le mythe du Nègre Marron ne soit plus qu'à la Martinique envahissant et puissant, et cela surtout dans la littérature, et pourtant nulle part, sauf peut-être à la Barbade, le marronnage, surtout le grand marronnage, n'a été moins attesté, passées les premières décennies de l'implantation française, comme phénomène historique repérable. Entre marronnage et marronnisme, histoire et mythe, le décalage est flagrant, et c'est cette asymétrie, et les prolongements paradoxaux qui en découlent, que nous allons explorer chez Glissant, Chamoiseau et Confiant après avoir, dans le chapitre qui suit, dressé un bilan du marronnage historique à l'échelle caribéenne.

CHAPITRE I

LE MARRONNAGE A L'ECHELLE CARIBEENNE : JALONS POUR UNE ETUDE DU PHENOMENE MARRON

1. Saint-Domingue

Aborder le sujet du marronnage en Saint-Domingue, c'est plonger d'emblée dans une controverse véhémente qui a dressé l'une contre l'autre deux soi-disant 'Ecoles' d'historiens - Ecole dite 'haïtienne' d'une part,[1] Ecole dite 'française' de l'autre - qui, à force de contre-accusations et d'insultes réciproques, ont réussi à brouiller à outrance une situation déjà assez complexe en soi pour déjouer toute possibilité de résolution complète.[2] Pour l'Ecole Haïtienne - représentée essentiellement par Jean Fouchard, auteur du 'classique' tonitruant qu'est *Les Marrons de la Liberté* dont la première édition paraît en 1972 - les Nègres Marrons de Saint-Domingue sont les 'vrais pères de la nation haïtienne' (Fouchard 1988 : 27) dont 'la geste anonyme, incessante et multipliée' (137), s'espaçant sur toute l'histoire coloniale de Saint-Domingue mais s'accentuant de façon sensible pendant sa dernière décennie, aurait préparé directement l'insurrection qui éclate en 1791 et dont l'inspiration et, en partie, les cadres et les effectifs seraient, pour l'essentiel, marrons. Aucun

---

[1]   L'Ecole 'haïtienne' comprend, entre autres, les Haïtiens Jean Price-Mars, Beaubrun Ardouin et Edner Brutus et les Français Louis Peyrtraud et Gaston-Martin.

[2]   Ce chapitre a été écrit avant que je n'aie lu l'excellente discussion du phénomène marron dans Cailler 1988 : 67-84. Le point de vue de Cailler est en général beaucoup plus 'positif' que le mien en ce qui concerne la signification du marronnage; pourtant l'on remarquera qu'elle ne voue qu'un seul paragraphe (73-4) au marronnage à la Martinique, dont la dernière instance importante qu'elle cite date de 1748.

28

besoin, selon Fouchard et l'Ecole Haïtienne, de chercher une autre raison pour le marronnage que le désir insistant de liberté. Qu'il s'agisse du 'petit' ou du 'grand' marronnage - distinction dont, par ailleurs, Fouchard conteste la validité -, du marronnage 'en lisière' ou de la constitution des 'républiques' marronnes que seraient, selon lui, Bahoruco et le Maniel, tout départ est un départ en dissidence qui met en cause les structures et les mentalités de l'esclavage : 'Provisoire ou définitive, la rébellion du marron ne peut prouver en effet qu'une indivisible et active protestation, une évidente et commune hostilité aux conditions de l'esclavage, à la mesure, certes, des circonstances, des possibilités, du courage ou du tempérament de chaque marron' (37). Pas de solution de continuité, alors, entre marronnage et insurrection, celle-ci étant le prolongement par d'autres moyens de la logique révolutionnaire inhérente à celui-là; initiée par Boukman, 'le plus célèbre et le plus pur de tous les héros du marronnage' (300), l'insurrection serait une simple intensification et globalisation de l'activité marronne antécédente qui lui aurait légué l'essentiel de son idéologie et une grande partie de ses leaders et de ses troupes. De Padrejean en 1679 en passant par le nègre Michel, Plymouth, Polydor, Makandal surtout (1758), Télémaque Canga et Pyrrhus Candide à Boukman, Jean-François et Biassou, il s'agirait, en somme, d'une seule et même tradition 'libérationniste' qu'auraient prolongée, sans en infléchir le sens, Toussaint, Dessalines et Henry Christophe et, au vingtième siècle, Charlemagne Péralte dans la guerrilla dite des Cacos qui a opposé l'occupation américaine en 1918-19. Adoptée et pour ainsi dire officialisée par le régime duvaliériste, cette vision disons 'noiriste' de la relation entre marronnage et indépendance nationale a été consacrée par l'inauguration du 'Monument au Marron Inconnu' du sculpteur haïtien Albert Mangonès devant le Palais National à Port-au-Prince. Mythification ou, mieux, pétrification d'une certain conception aliénante de l'histoire haïtienne, le *Marron inconnu* serait, selon Laënnec Hurbon (1979 : 16), 'le symbole de la réduction du peuple à l'état d'objet', une manière d'escamoter son rôle concret dans l'édification de la nation tout en lui donnant une forme idéalisée et vidée de substance : 'C'est curieusement au moment où [le peuple] est maintenu le plus éloigné de la scène du pouvoir qu'il y est ramené, tel un fantôme toujours à repousser.' La rumeur veut que la 'flamme éternelle' qui illumine la statue soit alimentée par les cadavres incinérés des adversaires du régime (Hurbon 1987 : 11); l'on ne s'étonnera pas, qu'au moment de la chute de Jean-Claude Duvalier en février 1986, le *Marron inconnu* soit devenu une des cibles de prédilection de la foule vengeresse.

La conception 'héroïque', 'romantique' ou 'nationaliste' du marronnage dominguois a été vivement contestée par l'Ecole dite française représentée surtout par Yvan Debbasch, auteur d'un long 'Essai sur la désertion de l'esclave antillais' paru dans *L'Année sociologique* en 1961-2, par Gabriel Debien qui, plus discrètement, a analysé le phénomène en profondeur dans *Les Esclaves aux Antilles françaises* (1974) et, plus près de nous, par André-Marcel D'Ans dont le *Haïti. Paysage et société* (1987) s'engage à démanteler de façon systématique le soi-disant 'ethnologisme' qui, selon l'auteur, aurait faussé la compréhension du réel haïtien et dont 'un historicisme délirant qu'obsèdent les illusions du "marronnage"' (D'Ans 1987 : 312-15) constituerait l'une des pièces maîtresses.[3] D'une façon ou d'une autre, tous ces 'révisionnistes' de l'histoire du marronnage dominguois (et plus largement antillais) prennent pour point de départ l'assertion faite, dès 1667, par le Père du Tertre selon laquelle 'il faut chercher d'autres causes de leur fuite [sc. des marrons], que le désir de liberté' (Du Tertre 1973 : II, 499). Ce seraient, selon eux, des considérations d'ordre pragmatique et limité - faim, crainte de punition, désir de 'promotion sociale' (pour les nègres dits 'à talent'), haine d'un géreur ou d'un économe donné - et non un rejet global de l'esclavage et une soif correspondante de liberté qui auraient précipité la plupart des départs en marronnage dont seule une petite minorité aurait abouti à une rupture définitive d'avec le monde de la plantation; bref, 'durant la période normale de sa longue existence [disons, au risque de simplifier l'argument de Debbasch, jusqu'à l'éclatement de la révolte anti-esclavagiste de 1791], il ne nous paraît pas, statistiquement parlant, que la volonté de liberté ait beaucoup compté comme cause des départs en marronnage' (Debbasch 1961 : 40). Mais, une fois la rupture effectuée, les marrons auraient subi 'une mutation de mentalité' qui les aurait farouchement attachés à la liberté parfois assez relative qu'ils avaient conquise. Les bandes marronnes telles que Bahoruco et le Maniel - beaucoup moins nombreuses, en réalité, que ne le

---

3   Ajoutons à Debbasch, Debien et D'Ans l'historien anglo-américain David Geggus (1983) qui adopte la plupart des thèses de l'Ecole dite française.

voulaient et les estimations de l'époque et celles de L'Ecole haïtienne[4] - se seraient constituées en 'aristocraties de la liberté' qui 'renient leur origine lorsqu'elles acceptent, pour prix de leur autonomie, de faire la chasse aux nouveaux marrons sur leur territoire' (38).[5] Mais loin de vivre en autonomie véritable, la plupart des marrons, qu'ils fissent partie ou non de bandes dûment constituées, auraient parasité le système esclavagiste qu'ils n'auraient que très partiellement rejeté. Manquant d'armes et d'outils, de sel et d'autres denrées alimentaires et, surtout, de femmes,[6] même les bandes constituées auraient continué de vivre en symbiose - celle-ci prenant la forme de vols, de raids intermittents et surtout de troc et de commerce - avec le monde plantationnaire et ses esclaves et n'auraient jamais atteint à cette espèce d'autarcie que leur prête le 'mythe' marronniste. En plus, loin de constituer des 'Afrique en miniature' (96), les marrons, qu'ils fussent d'origine africaine ou non, étaient déjà passablement créolisés dans le sens, surtout, d'employer le créole

---

4   Ainsi, contre le chiffre de 1500 ou 1800 marrons (dont un tiers portant armes) que l'on attribuait couramment au Maniel, un recensement de 1784 n'a révélé la présence que de *cent trente-sept individus* (Debbasch 1962 : 186, voir aussi D'Ans 1987 : 125 et Geggus 1983 : 7; il semblerait, pourtant, que les effectifs du Maniel, peut-être 700-800 en 1778, eussent été sérieusement réduits par une épidémie de petite vérole).

5   Sur les accords conclus par le Maniel avec les autorités coloniales, voir Debbasch 1962 : 188-91 et Geggus 1983 : 8.

6   Sur le déséquilibre démographique des bandes marronnes dominguoises, voir Debbasch 1961 : 104-5.

comme langue véhiculaire[7] et non un ou plusieurs idiomes africains et de mélanger, dans leurs cultes, souvenirs africains et influences catholiques dans une version larvaire du vaudou; bref, 'leur organisation sociale est *sui generis*, et ne se réduit pas à la simple reproduction d'un modèle africain' (D'Ans 1987 : 238). Il s'ensuit que le marronnage dominguois a été un phénomène parcellaire, ponctuel, parasitaire et surtout apolitique qui, loin d'avoir menacé l'ordre esclavagiste dans son fond, l'a même consolidé en offrant une échappatoire ou soupape de sûreté aux inadaptés et réfractaires qu'il n'arrivait pas à encadrer (voir Geggus 1983 : 5). Il n'y a pas, à cet égard, de différence *fondamentale* entre 'petit' et 'grand' marronnage. Du premier, les colons s'en accommodent comme d'un phénomène banal, inhérent au système, et du second, malgré quelques paniques passagères (auxquelles, en réalité, les autorités coloniales étaient beaucoup plus sujettes que les colons eux-mêmes), comme d'une 'plaie' qui, même constante, ce qu'elle n'était pas, n'attentait pas à la survie de l'organisme lui-même (voir Debien 1974 : 422-3, 465-6). Corollaire : l'insurrection de 1791 n'est nullement un prolongement ou une intensification d'un marronnage antécédent, mais un phénomène inédit, une rupture qui s'est faite *à l'intérieur* du système esclavagiste même (voir Geggus 1983 : 10), soit une *explosion* ayant lieu dans le centre plutôt

---

7   Encore que Debbasch (1961 : 98) signale la présence au Maniel d'une langue africaine.

qu'une *implosion* venue des marges.[8] Non seulement les premiers leaders de l'insurrection - Boukman, Jean-François, Biassou et Jeannot - n'étaient pas 'grands marrons' (encore que certains d'entre eux aient pu se marronner en leur temps), mais celle-ci a eu ses origines dans une région de la colonie - la plaine du nord - que ne fréquentaient pas les bandes marronnes 'organisées'; celles-ci, pour leur part, n'ont rallié l'insurrection que fort tardivement, Bahoruco en 1793 seulement (Debien 1974 : 467), avec le Maniel - qui a soutenu l'invasion espagnole et gardé ou revendu ses captifs noirs comme esclaves (Geggus 1983 : 9) - jouant un rôle encore plus ambivalent et suspect. Bref, entre marronnage et insurrection il y a discontinuité totale. Un marron n'est pas un insurgé, même à l'état larvaire. On ne fait pas une révolution avec 'd'hypothétiques marrons' (D'Ans 1987 : 153).

Comment concilier deux visions à tel point discordantes ? C'est ce qu'ont pourtant tenté de faire deux spécialistes de la question, Leslie Manigat (dont

---

8   Il est significatif que, dans sa polémique contre Césaire et contre 'le culte du héros haïtien dans l'élite de la gauche martiniquaise', Raphaël Confiant (1993a : 113-14) a fait sienne cette thèse de l'Ecole française : 'La Révolution haïtienne ne fut aucunement une révolte de Nègres-Marrons mais bien l'une des toutes premières révolutions au sens moderne du terme, celle des travailleurs des ateliers dans les plantations de canne à sucre et de café de Saint-Domingue.' Confiant cite à l'appui de cette thèse *Les Jacobins noirs* de C.L.R. James, alors que James, dans son introduction à la traduction anglaise des *Marrons de la Liberté*, a soutenu, à la suite de Fouchard, que 'les marrons et le marronnage sont les fondateurs de la nation haïtienne' (reproduit en Fouchard 1988 : 13). N'entrons pas dans ce débat : l'important est d'y noter un signe, entre autres, de *l'anti-marronnisme* de l'école de la Créolité.

la carrière politique ultérieure ne doit pas faire oublier les qualités de savant) dans une intervention de colloque en 1977 et l'historienne canadienne Carolyn F. Fick à qui l'on doit la meilleure synthèse, jusqu'à nouvel ordre, sur les origines et le parcours de la révolution haïtienne (voir Fick 1990). Pour Manigat, qui reste, en somme, assez proche de l'Ecole haïtienne traditionnelle, il s'agit de montrer comment le marronnage a pu préparer et puis se fusionner avec un mouvement surgi du sein du monde plantationnaire pour précipiter la tache d'huile insurrectionnelle que l'on sait. Se refusant à trancher trop nettement entre mobiles de fuite pragmatiques et aspiration à la liberté - la faim, dit-il à juste titre (1977 : 427), peut être un catalyseur de révolution, un germe de conscience politique - Manigat (435) décrit l'insurrection qui s'est produite à l'intérieur du système esclavagiste comme une 'intériorisation' ou 'introjection' de l'esprit du marronnage qui se serait cristallisé sur ses marges. C'est toujours 'l'esprit marron' qui prend les devants, mais cette fois comme inspiration et modèle révolutionnaires plutôt que comme cause effective de l'explosion. Ainsi le marronnage, mouvement indissolublement négatif et positif, défensif et agressif, est fait pour mourir et renaître, tel le phénix (436), de ses cendres en forme d'insurrection, et c'est surtout le génie de Boukman, indissolublement marron et insurgé, d'avoir assuré ce dépassement de l'un dans l'autre. De même le marron, 'grand' ou 'petit', membre de bande ou fugitif isolé, est déjà un insurgé à l'état virtuel, et il ne faudra qu'un changement de circonstances, comme la révolte du nord (que lui-même aura inspirée aux esclaves par sa volonté de rupture) pour le transformer en révolutionnaire tout court. Les thèses de l'Ecole française sont acceptées et tournées au profit de la thèse marronniste. Le marronnage, quels qu'en soient les mobiles, contient l'insurrection comme la chrysalide contient le papillon (421), et c'est la crise de 1789-91 qui a métamorphosé celui-ci en celle-là pour l'emporter ensuite dans 'la nouvelle réalité ascensionnelle de la révolution haïtienne'.

C'est le très grand mérite de l'étude de Carolyn E. Fick, *The Making of Haiti. The Saint Domingue Revolution From Below* (1990) d'avoir montré non seulement que la révolution haïtienne surgit à la fois de dedans et de dehors du système esclavagiste (240) mais que l'opposition même entre 'dedans' et 'dehors' sur laquelle se fondent *et* la thèse 'haïtienne' *et* la contre-thèse 'française' est à déconstruire. Pour Fick il ne fait aucun doute que la révolution haïtienne n'ait ses origines à l'intérieur du système, mais le marronnage lui-même fait partie du système auquel il reste rattaché d'une manière ambivalente et problématique (56-7, 239); à vrai dire, il n'y a pas eu, en Saint-Domingue colonial, de véritable 'hors système', tous les éléments de la société se définissant, qui positivement, qui négativement, qui d'une façon profondément ambiguë, par rapport à son institution pivotale, l'esclavage. Se refusant à privilégier ou l'apport des esclaves de plantation ou celui des marrons de toute sorte au déclenchement de la révolte, Fick présente celle-ci comme un phénomène social total englobant tous les dominés du système - nègres à houe et à talent, esclaves domestiques et urbains, commandeurs (dont le rôle a été primordial, voir 95, 244), libres de la savane, petits et grands marrons (avec l'exception, pourtant, de certaines bandes organisées telles Bahoruco et

36

Maniel), Créoles et Africains et même Noirs affranchis dont, un peu plus tard, Toussaint Louverture lui-même - auxquels, par le fait même de son existence, l'insurrection fait subir une transformation *qualitative* (242). Passé un certain stade liminaire, l'insurrection abolit jusqu'à la distinction entre insurgé et marron, l'insurgé étant forcément marron dans la mesure où, par définition, il quitte 'sa' plantation pour poursuivre la lutte.[9] Même lorsque, comme aux Platons (qui a pu à un moment réunir jusqu'à 12 000 ex-esclaves), les insurgés se sont constitués en 'royaumes' ou 'républiques' autonomes, ceux-ci se distinguaient radicalement des bandes marronnes formées *avant* 1791 dans la mesure où ils visaient la destruction de l'esclavage même et non une simple survie sur ses marges; bref, les ex-esclaves des Platons étaient indissolublement insurgés *et* marrons (150-2).

De tout ceci l'on retiendra, outre l'énorme complexité de la question, l'existence d'un continuum d'actes et d'abstentions allant du simple absentéisme au soi-disant 'grand' marronnage en passant par le marronnage dit 'de lisière' dont aucun n'est forcément ou par définition plus 'radical' qu'un autre : un marron en lisière tel Makandal était à coup sûr plus dangereux au 'système' qu'un marron en rupture qui 'passait à l'espagnol' (c'est-à-dire qui s'enfuyait dans la partie espagnole d'Hispaniola) ou qui se cramponnait

---

[9]   Même André-Marcel D'Ans (1987 : 176) reconnaît que, dans les semaines immédiatement consécutives au déclenchement de la révolte, insurrection et marronnage sont en réalité solidaires l'un de l'autre.

à une pseudo-autonomie au Maniel ou ailleurs.[10] Surtout, l'existence d'un marronnage polymorphe à l'extérieur du système (dans la mesure, très limitée en fait, où l'on peut parler d'une extériorité au système) ne doit pas faire oublier les multiples actes d'opposition et de résistance qui se sont produits durant toute l'époque esclavagiste à son intérieur, non seulement sur les plantations mais aussi dans les villes, actes qui, par leur fréquence et leur intensité, ont pu l'emporter en importance cumulative sur les départs en marronnage qui ont par trop monopolisé l'attention et de l'Ecole 'haïtienne' et de sa rivale 'française'. Cela dit, passons au cas, tout aussi controversé mais pour des raisons différentes, du marronnage jamaïcain.

---

[10]   Voir Fouchard 1988 : 300 et Fink 1990 : 59-62. Il n'y a pas de doute, selon Fick, que Makandal n'ait voulu détruire l'esclavage et non établir un quelconque 'royaume' ou 'république' sur ses marges, l'objet visé étant donc 'révolutionnaire' et nullement 'restorationniste', comme a pu le prétendre l'historien marxiste américain Eugene Genovese (1979).

2. Jamaïque

Formées par agglutinations successives à partir de nodules de marrons laissés par les Espagnols lors de leur expulsion de l'île par les Britanniques entre 1655 et 1660, les deux bandes principales de marrons à la Jamaïque - les Leeward Maroons (Marrons sous le vent) au centre-ouest dans le très accidenté Cockpit Country et les Windward Maroons (Marrons au vent) à l'est autour du Blue Mountain - ont réuni environ un millier de fugitifs au moment où la Première Guerre des Marrons (First Maroon War) a éclaté en 1730.[11] De composition ethnique diverse, mais sans doute à dominante akan (voir Kopytoff 1976), les marrons, surtout ceux de l'est, avaient en effet mené une guérilla plus ou moins continue contre les colons depuis 1670. Non seulement ils avaient pu déjouer toute tentative de les supprimer mais, par la menace constante qu'ils faisaient peser sur les habitations de l'intérieur, ils avaient découragé d'autres colons et sensiblement ralenti la mise en valeur de la colonie qui, malgré la richesse de son sol, risquait, aux environs de 1725, de péricliter. En 1738, de guerre lasse, et sachant que jamais ils n'en auraient militairement raison, les colons, soutenus par le gouvernement britannique, ont opté de pactiser avec leurs adversaires à qui ils ont offert un traité que

---

[11] L'essentiel de ce qui suit se fonde sur l'étude de Mavis Campbell *The Maroons of Jamaica 1655-1796* (1990) dont le sous-titre, *A History of Resistance, Collaboration and Betrayal*, indique assez bien l'optique. Pour ne pas surcharger le texte, j'ai limité les références à l'essentiel.

les marrons de l'ouest, sous leur chef Captain Cudjoe (un Créole né en liberté de père akan), ont accepté d'emblée, suivis, avec plus d'hésitation, par leurs homologues de l'est.[12] Les traités garantissaient aux marrons la liberté juridique, l'occupation de terres dûment définies et une autonomie politique en somme assez limitée, mais leur imposaient en revanche la double obligation de coopérer avec les colons dans la suppression de toute révolte ultérieure d'esclaves et de retourner à son propriétaire, moyennant une prime, tout nouveau fugitif qui se présenterait à eux ou qu'ils appréhenderaient dans 'les bois'.[13]

Il ne fait aucun doute que les marrons, surtout ceux de l'ouest, se sont pliés avec diligence, voire avec allégresse, aux termes des traités, de sorte que le marronnage qui, avant 1738, avait menacé l'existence même de la colonie, est devenu, par la suite, un phénomène sporadique, parsemé et en somme peu nocif. D'adversaires acharnés de l'esclavage, les marrons jamaïcains sont passés, presque d'un jour à l'autre, à en être le principal rempart (voir Campbell 1990 : 147), et le soutien qu'ils ont prêté aux colons a surtout été déterminant en supprimant la révolte de Tacky en 1760 (155). Non seulement les marrons collaboraient avec les colons, ils avaient eux-mêmes des esclaves qui ne seraient libérés - 121 pour une population marronne globale d'environ 1600 - qu'au moment de l'émancipation générale en 1834 (202).

---

[12]   Pour une analyse fouillée et subtile des circonstances de l'accord, voir Patterson 1973.

[13]   Pour une analyse détaillée des termes des traités, voir Campbell 1990 : 126-63.

Bien que la plupart de leurs premiers effectifs eussent été d'origine africaine, les marrons étaient déjà en voie de créolisation avancée au moment des traités - ceux de l'ouest parlaient 'anglais' entre eux par ordre explicite de Cudjoe (48) - et entretenaient des rapports symbiotiques avec le monde des plantations; autonomes, ils n'étaient pas pour autant en dehors du système. Entre marrons et esclaves de plantation les relations allaient en se détériorant, les premiers se définissant par opposition aux derniers et se considérant en tous points supérieurs à eux en vertu de leur statut de libres. Munie chaque bande de son traité qui lui était moins un document légal qu'une charte fondatrice sacrée (voir Kopytoff 1979), les marrons exigeaient avant tout des colons qu'ils ne les traitassent pas en esclaves, exigence qui, en 1795, a provoqué la Deuxième Guerre des Marrons (Second Maroon War) lorsque deux marrons du village de Trelawny Town (bande de l'ouest), accusés d'avoir volé un porc, ont été fouettés par un esclave devant d'autres esclaves selon les ordres d'un Blanc. La protestation envoyée aux autorités coloniales par les marrons de Trelawny Town en dit long sur la mentalité de ceux-ci et sur leur position dans la société esclavagiste :

> Vous êtes nos papas [ou Tattas] et nous vos enfants notre situation, et la supériorité dont nous jouissons dans ce pays, nous les tirons de notre connexion avec vous; mais lorsque nous remplissons les devoirs qu'exigent de nous ces avantages, ne nous assujettissez pas aux insultes et humiliations de la part de ceux-là mêmes vis-à-vis de qui nous nous tenons en

41

opposition [the very people to whom we are set in opposition].[14]

En désespoir de cause, la communauté marronne de Trelawny Town - à peine 500 personnes, dont seules 167 capables de porter les armes - s'est révoltée contre les autorités coloniales que soutenaient, fidèles à leurs traités, les autres communautés de l'ouest et de l'est. Pourchassés par d'énormes dogues importés à cette fin de Cuba, les marrons de Trelawny Town, après de féroces résistances, ont été acculés à la reddition, suite à laquelle ils ont été déportés, en Nouvelle-Ecosse (Canada) d'abord et puis en Sierra Leone où leurs descendants constituent toujours un groupe à part et, dit-on, toujours entiché de sa supériorité vis-à-vis des autres habitants du pays...

Triste histoire, donc, que celle des marrons de la Jamaïque qui, lors de la rébellion de Morant Bay (1865), soutenaient encore les colons.[15] Peu aimés des autres Jamaïcains que rebutent leur histoire de collaboration et leur chronique complexe de supériorité, les marrons de l'est et de l'ouest retiennent un sens de leur passé mais peu de leur culture distincte (voir Bilby 1980 : 20). Beaucoup ont quitté les territoires traditionnels des marrons pour s'en aller en ville, et ceux qui sont restés, surtout les moins de 30 ans, ne savent plus jouer du tambour

---

14   Cité dans Kopytoff 1979 : 50. Pour toute cette affaire, voir Campbell 1990 : 209-49.

15   Voir Heuman 1994 : 131-4. C'étaient des marrons qui étaient responsables de la capture du leader de la rébellion Paul Bogle et de son transfert aux autorités coloniales qui l'ont fait pendre (91).

Kromanti, ont oublié l'art de communiquer par *abeng*[16] et ne sauraient comment se mettre à la chasse d'un goret sauvage, le plat presque totémique de leurs ancêtres (21). Tout ce qui n'a pas empêché un groupuscule jamaïcain de Black Power formé vers la fin des années soixante d'appeler son journal *Abeng*, tant l'obsession marronniste se retrouve un peu partout chez les intellectuels de la Caraïbe...

---

[16]   L'*abeng* est une corne de bovin dont on peut tirer deux tons, lesquels, combinés comme en alphabet morse, permettent une communication à plusieurs kilomètres de distance. Employé lors des guerres marronnes, il a la même valeur symbolique à la Jamaïque que la conque de lambi en Haïti et aux Antilles francophones.

3. Guyanes

Nous n'avons pas à retracer ici les histoires des différentes communautés marronnes des Guyanes française et ex-hollandaise,[17] sauf pour dire qu'elles étaient certainement les plus nombreuses de toute la région caribéenne et que celles de l'actuel Surinam ont, à l'instar des marrons jamaïcains, signé des accords au cours des années 1760 avec les colons, qui leur garantissaient un statut d'enclaves semi-autonomes au sein de la colonie, à condition, bien sûr, qu'elles retournassent à son maître tout fugitif ultérieur qui essaierait de les rejoindre. Au début des années 1980, les deux communautés surinamiennes principales, les Saramaka et les Djuka, réunissaient chacune une population d'environ 20 000 personnes, dont une proportion croissante domiciliée de façon permanente ou temporaire à la capitale, Paramaribo; trois communautés mineures, les Matawai, Aluku (Boni) et Paramaka, avaient 2 000 ressortissants chacune, et il y avait une sixième communauté, les Kwinti, dont les effectifs ne dépassaient pas 500. L'importance des marrons surinamiens pour notre propos, c'est que, leur culture ayant été étudiée en profondeur et avec pénétration pendant de longues années par Richard et Sally Price, ils nous permettent d'examiner, et de contester, le mythe marronniste selon lequel de telles communautés seraient des oasis d'africanité au sein des Amériques, de petites Afrique, enfin, transportées et ressuscitées telles quelles de

---

17   L'essentiel de ce qui suit se fonde sur R. Price 1976 et S. et R. Price 1980; seules les références indispensables sont indiquées.

44

l'autre côté de l'Atlantique. Nous verrons qu'il n'en est rien, et que la culture marronne est tout aussi créole que la culture des nègres de plantation (et de leurs descendants), quoique, bien sûr, sa créolité soit d'un ordre et d'une modalité qui lui sont particuliers. Formées à partir d'esclaves fugitifs d'origines africaines diverses, et déjà sensiblement créolisés, dans beaucoup de cas, *avant* leur départ, les communautés marronnes réunissaient des populations très hétérogènes (voir R. Price 1976 : 33) qui, tout comme leurs homologues des plantations, avaient à créer une nouvelle culture composite et non simplement à transposer telle ou telle culture toute faite qu'elles auraient 'apportée' avec elles de l'Afrique. Fait essentiel, les deux langues marronnes surinamiennes, le saramaka et le ndjuka, sont des langues créoles à lexique dérivé de l'anglais (avec un apport portugais important), différentes, certes, du sranan qui se parlait sur les plantations et qui se parle encore sur la côte, mais nullement des langues 'africaines', comme d'aucuns se plaisent à le dire (33-8). Pareillement, structures sociales et structures familiales montrent bien une empreinte africaine, mais se sont constituées à partir de 'liens sociaux ayant leur origine dans la vie de plantation plutôt qu'en terme d'affiliations tribales ou linguistiques africaines' (29) : ce sont donc des structures afro-créoles à la fois reliées à, et distinctes de, celles qui se formaient sur les plantations. Quant à la production artistique marronne, si 'africaine' au regard profane, rien ne permet de croire qu'elle soit une simple continuation ou transposition de formes 'héritées' ou 'apportées' de l'Afrique (voir S. et R. Price 1980 : 196, Hurault 1970 : 84). Au contraire, tout indique l'existence d'une *rupture* d'avec l'Afrique consécutive à la traite et à l'esclavage, rupture suivie d'une période sinon d'improductivité au moins de pénurie esthétiques pendant les premières décennies, voire pendant le premier siècle, de l'existence marronne, de sorte que ce n'est qu'entre 1830 et 1870 *au plus tôt* (S. et R. Price 1980 : 199, Hurault 1970 : 87) que la plupart des activités artistiques marronnes - sculptures en bois, textiles suturés en couleurs, cicatricisations et tatouages, maisons en bois richement ornées, etc. - se sont constituées dans une *première* forme, quitte à évoluer de façon continue jusqu'à l'époque présente. Il ne s'agit donc nullement de 'retentions' ni même de 'réinterprétations' 'africaines', mais bien de créations autonomes et nouvelles où 'éléments' africains, amérindiens et sans doute aussi européens se combinent selon des principes esthétiques propres au génie marron pour produire une synthèse inédite qu'il serait vain de vouloir rattacher à une quelconque tradition allogène (voir S. et R. Price 1980 : 210). Vues de l'extérieur, les cultures marronnes semblent confirmer la vision 'africaniste' ou 'négritudiniste' des cultures afro-américaines en général. Mais il n'en est rien : celles-là, tout comme celles-ci, sont des cultures afro-créoles, où l'apport 'afro' est peut-être plus sensible qu'ailleurs, mais qui n'en restent pas moins, dans leur intériorité profonde, des cultures composites dont les 'éléments', puisés dans cette 'mangrove de virtualités' (voir Bernabé et al. 1989 : 28) qu'est la *materia prima* de toute culture créole, se disposent, comme les fragments coloriés d'un kaléidoscope, selon une logique combinatoire qui n'est que caribéenne.

4. Guadeloupe

Que le marronnage, 'grand' et 'petit', ait constitué à la Guadeloupe une forme majeure d'opposition à l'esclavage ne fait guère de doute, et l'on y relève l'existence d'importantes communautés de marrons du début de l'esclavage jusqu'à sa fin. En 1726, par exemple, Crapado, le commandant de la Grande-Terre, signale dans cette île la présence de 'plus de 600 nègres marrons [chiffre qui, s'il est vrai, équivaudrait à 2% du total des esclaves dans la colonie à l'époque] qui sont attroupés en quatre bandes et qui journellement envoient des détachements de soixante à quatre-vingt nègres piller les habitations, et quoique j'aie continuellement des détachements après ces marrons, nous ne pouvons éviter les vols et les enlèvements de nègres qu'ils font chez les habitants'; suivant une pratique marronne que l'on retrouve un peu partout, les chefs des bandes en question avaient pris le nom des colons même à qui ils s'opposaient, dans l'espèce le Général de Feuquières et le Comte de Moyencourt, respectivement gouverneur général et député gouverneur de la colonie (Abenon 1987 : 250-1). D'autres noms de chefs nous sont aussi connus - Bordebois, Pierrot Mine, Grand Goulu, Maniel, Baptiste, La Tulipe - ce qui indique assez bien l'ampleur du phénomène marron dans cette première moitié du dix-huitième siècle lorsque la société d'habitation n'a pas tout à fait pris ses assises dans les deux îles; chose peu surprenante, la plupart des marrons sont d'origine africaine, avec une proportion notable de Mondongues parmi eux (voir Debbasch 1961 : 92-4). Cinquante ans plus tard, et ce n'est pas plus surprenant, ce sont les esclaves créoles qui l'emportent; sur un échantillon de 134 marrons répertoriés en des archives notariales datant de 1770-89, il y a 52 Créoles contre 25 Africains, avec 15 'sang-mêlé' sans doute créoles aussi, 11 'nègres' et 31 dont l'origine n'est pas précisée et qui sont probablement créoles, profil qui ne diffère guère de celui de l'ensemble des esclaves à l'époque (Vanony-Frisch 1985 : 135). Il y a deux hommes pour chaque femme, et les nègres à houe l'emportent sur les nègres à talents, ce qui, encore une fois, est tout à fait prévisible.

L'originalité, pourtant, du cas guadeloupéen, c'est que le nombre de marrons semble avoir *augmenté* au fur du temps, à l'encontre de ce qui s'est produit à la Martinique où, on le verra, il a sensiblement *diminué* à partir du milieu du dix-huitième siècle. La raison en est assez évidente : le bouleversement total que, contrairement à la Martinique (passée, avec la connivence des Békés, sous contrôle britannique), la Guadeloupe a connu avant et surtout après l'abolition de l'esclavage en 1794. En 1802, au moment de sa réimposition et de l'insurrection consécutive de Delgrès, le Général Gobert a constaté que 'la révolution a considérablement augmenté le nombre des nègres marrons' (cité dans Fallope 1992 : 208), et les nombreux ex-esclaves qui ont pu échapper au rétablissement de l'ordre' ont rallié les communautés marronnes déjà établies en Grande-Terre (surtout dans les Grands-Fonds et dans la région de Portland) et, en Guadeloupe même (Basse-Terre), dans les hauteurs de Pointe-Noire, Sainte-Rose, Lamentin, Capesterre et Trois-Rivières. Dès 1816 Guillermy signale la présence de 3000 marrons dans la colonie (soit 3% du total de la population esclave) et, en 1835 encore, il y en avait, selon Xavier Tanc, entre 1200 et 1500 dans le nord seul de la Guadeloupe. Chose qui peut surprendre, c'est que, malgré la créolisation de plus en plus marquée de la population esclave, ce sont encore des esclaves d'origine africaine - mondongue et kéler surtout - qui semblant dominer les différentes communautés marronnes assimilées, par les observateurs de l'époque, à des 'nationalités', voire à de 'petites républiques indépendantes' et dont le nom de certains des chefs nous sont connus : Azaïs (pendu en 1837), Martial et le 'Roi des Bois', Mont-Choachi (vraisemblablement une déformation du nom akan Kouassi) qui mourra aux cachots de Basse-Terre en 1826 (209-10). Mais, pas plus que leurs homologues dominguois du siècle d'avant, les marrons guadeloupéens n'étaient pas en dehors de l'ensemble plantationnaire avec lequel ils entretenaient des relations de commerce, troquant, au dire de Xavier Tanc, charbons, poissons, agoutis et gommes contre tafia, tabac, farine de manioc et sel, d'où la conclusion, que nous devons à Josette Fallope (215), que 'même en rupture de ban, le résistant se voit dans l'obligation d'aménager des modalités d'existence dans l'espace esclavagiste et de rester en relation avec celui-ci, ainsi le marron devient un élément intégré dans la dynamique sociale'. De même avec le soi-disant 'petit' marronnage et le marronnage urbain, ce dernier, qu'affectionnent les esclaves créoles et 'à talents', étant en réalité 'un marronnage qui s'inscrit dans la société esclavagiste et non contre elle; il s'agit d'un processus de mobilité verticale à travers la résistance, le marronnage devenant un facteur d'accroissement des Nègres 'à loyer' ou de la classe des affranchis'. D'où il s'ensuit que 'la résistance, qu'elle soit préservation, agression ou rupture, correspond bien souvent au refus d'une situation ponctuelle et non au rejet définitif de la société globale', soit un peu la thèse de l'Ecole dite 'française' appliquée aux marrons de la Guadeloupe par une historienne qui est Guadeloupéenne elle-même... Mais au moins le marronnage a-t-il existé à la Guadeloupe après le milieu du dix-huitième siècle, au grand bonheur des écrivains et intellectuels *martiniquais* qui ont pu y puiser à leur gré noms de plume ou de mornes (Monchoachi), intrigues de roman (*Dominique, nègre esclave*) et exemples de communautés marronnes n'existant guère dans leur propre île (les Grands-Fonds). Si Haïti est le grand alibi de l'écrivain martiniquais en mal de 'modèles' révolutionnaires chez lui - que l'on pense au *Monsieur Toussaint* de Glissant, au *Roi Christophe* de Césaire ou au *Dessalines* de Vincent Placoly - 'l'île-soeur' lui offre d'autres ressources pour esquiver la prétendue 'non-histoire' de la sienne (voir Glissant 1981 : 131), non-histoire dont un aspect fondamental, on va le voir, est l'absence d'un marronnage 'classique' à partir d'environ 1750.

5. Martinique

Il a pourtant bel et bien existé à la Martinique, le marronnage, le 'véritable', le 'grand', pendant le premier siècle de la colonie française. Les RP du Tertre et Labat en parlent comme d'un phénomène tout à fait normal et, par les descriptions qu'ils en donnent, nous permettent de faire une première approximation du problème. Il est clair tout d'abord que les marrons les plus réussis n'étaient pas, ainsi que le voudrait une certain vision romantique de la chose, des Africains frais débarqués du négrier, mais bien des esclaves créoles ou du moins des esclaves africains déjà passablement créolisés. Alors que les nouveaux arrivants qui auront pris le large 'pâtissent dans les bois, car ils ne vivent que de fruits sauvages, de Grenouilles, de Crabes, de Tourlourous, qu'ils sont contraints de manger tous crus', ce qui fait que soit ils se rendent soit ils 'meurent misérablement de faim, ou des maladies qu'ils y contractent', les esclaves créoles, créolisés ou en voie de créolisation 'ne se rendent jamais Marons, qu'ils n'aient mis ordre à leurs affaires : c'est pourquoi ils se munissent de ferrements, comme serpes, haches et couteaux, emportent leurs hardes, font provision de gros Mil, et se retirent aux lieux les plus élevés des montagnes, qui sont presque inaccessibles, où ils battent du bois, font un jardin, y plantent du Manioc et des Igniames, et en attendant qu'ils sont en maturité, ils reviennent la nuit à la lisière du bois, où les autres Nègres ne manquent point de leur porter à manger de ce qu'ils ont'.[18] Qui plus est,

> Si tost que les vivres qu'ils ont plantés sont en maturité, le Mary vient quérir sa Femme et ses enfants, et les autres viennent débaucher d'autres Nègres pour avoir compagnie. L'on ne sçauroit dire avec quelle abondance ces esclaves fugitifs se nourrissent, car rien ne leur manque, des choses qui se trouvent dans les bois, qu'ils accommodent à leur façon et à leur goust. En effet, les Chasseurs de la Martinique, ayant découvert en l'an 1657, l'*Ajoupa* d'un Nègre fugitif, ils y trouvèrent de la Cassave, des Patates, et deux Grandes Callebasses pleines d'eau, et un tison tout allumé. Quelques-uns ont vécu les cinq et six ans en cet estat, et l'on croid mesme qu'il y en a encor à la Martinique qui multiplient avec leurs femmes, et quoi qu'on leur ait souvent donné la chasse, on ne les a jamais pu rencontrer; car ils ont l'adresse de ne point faire du feu pendant le jour, de peur que la fumée ne découvre le lieu de leur retraite. (Du Tertre 1667 : II, 536-7, même appréciation chez Labat 1931 : I, 59)

Mais il ne s'est pas agi d'un simple retrait de la vie d'habitation, car, dès 1654, lorsqu'une bande de Caraïbes, au nombre de 2000, fond sur l'habitation de

---

[18] Pour le motif de l'apport de nourriture aux nègres marrons et à leurs avatars modernes tels Beauregard et Marny, voir Glissant 1987 : 78, 149, 222, etc.

la Montagne dans les environs de Saint-Pierre, ils sont soutenus par une 'grande quantité' de nègres marrons qui les avaient rejoints dans les bois et qui, grossis à leur tour par de nouveaux fugitifs, se sont mis 'à piller, brûler, tuer et commettre les atrocités les plus horribles' (Sidney Daney (1846), cité par Bellance 1994 : 73). Une telle conjoncture avait de quoi inquiéter les colons toujours très vulnérables, et l'année suivante le nègre Séchoux est condamné à être pendu, écartelé et ses membres attachés aux avenues publiques pour avoir tenté de s'enfuir avec les siens et rejoindre les 'Sauvages' dans les bois (Debien 1974 : 424). Dix ans plus tard, nous apprenons l'existence d'un 'puissant Nègre, d'une mine martiale, et d'une grandeur fort extraordinaire' qui, se coiffant, selon la pratique courante, du nom de son ex-maître Francisque Fabulé, se mit à la tête d'une bande de 300 à 400 nègres marrons, lesquels, 'dispersés par plotons de 25 à 30 en divers endroits de ceste Isle', descendaient 'hardiment dans les cases un peu écartées' pour y piller 'tout ce qui leur estoit propre, particulièrement des armes, des munitions et des vivres' (Du Tertre 1667 : III, 201-2). Une campagne de trois mois contre 'cette canaille' n'ayant abouti qu'à la capture d'une poignée de marrons, le gouverneur Clodoré décide d'entrer en composition avec Fabulé et lui accorde la liberté et le droit de porter un sabre à condition qu'il ramène à leurs maîtres le plus de marrons possible, condition à laquelle Fabulé se plie d'assez bon gré pendant le gouvernement de Clodoré mais, sitôt celui-ci parti, repart en dissidence et rameute les marrons, ce qui lui vaut de 'servir le roi dans ses galères le reste de sa vie auquel effet il sera embarqué sur le premier vaisseau qui partira de cette île pour France' (cité dans Bellance 1994 : 74). La carrière de Fabulé souligne encore une fois, si besoin en était, l'ambivalence de la situation du marron et singulièrement du *chef* marron dont le rapport quasiment féodal qu'il peut avoir avec un Blanc de pouvoir - Fabulé devient, en effet, l'homme lige de Clodoré - est souvent déterminant pour les options qu'il prend.[19]

Des perturbations d'inspiration marronne continuent de se produire assez régulièrement à la Martinique jusqu'aux environs de 1730,[20] date à partir de laquelle, la société habitationnaire se consolidant et mordant de plus en plus sur les zones-refuges dans les mornes, le nombre de marrons commence à diminuer, à quelques secousses près, de façon continue, et cela à la fois relativement au total de la population esclave et, après 1770, absolument (Debbasch 1961 : 65-6). De 649 marrons sur un total de 43,272 esclaves en 1730, la proportion tombe à 385 sur 65,905 en 1755 et, malgré une montée en 1763 (838 sur 65,939) probablement due à la Guerre de Sept Ans et à l'affaiblissement de la surveillance

---

[19] Selon Du Tertre (1667 : III, 203), Clodoré 'le [Fabulé] retint chez luy, le caressa'.

[20] Il y a donc de 'petites séditions de nègres marrons' en 1669, 1678, 1679 et 1688 (David 1973 : 36), celui de 1678 entraînant la mort d'entre 10 et 12 'nègres mines', c'est-à-dire provenant d'Elmina au Ghana (Chauleau 1966 : 201). Mais l'existence, signalée en 1708, d'une bande de 500-600 marrons armés ne semble pas avoir alarmé les colons outre mesure : 'Les administrateurs ordonnaient aux habitants d'organiser des chasses pour les expulsés, mais les maîtres se montraient peu empressés' (lettre de Vaucresson, citée dans Chauleau 1966 : 200).

des colons, tombe à 317 sur 72,853 en 1770 et à 282 sur 68,346 en 1784 (Elisabeth 1988 : 1ere partie, II 162-3).[21] Après 1765, le nombre d'importations de l'Afrique - non qu'il faille identifier, on l'a maintes fois vu, origine africaine et propension à la fuite - se ralentit (quitte à reprendre après 1815), de sorte qu'à la veille de la Révolution 'il n'y a qu'un faible pourcentage d'Africains sur la plupart des grandes habitations, alors que la population esclave est en augmentation' (II, 182).[22] Le marronnage continue, mais de façon sporadique et ponctuelle, le chiffre de 80 déclarations de marronnage *en une journée* en 1741 étant tout à fait exceptionnel, dû à une disette générale dans la colonie (voir David 1973 : 62). Les marrons se dirigent autant vers les villes que vers les mornes, et il y a de nombreuses tentatives de fuite, dont beaucoup réussies, à l'étranger (notamment à Saint-Vincent, toujours à peine colonisé, pour rejoindre les Black Caribs) que les autorités coloniales n'arrivent jamais à stopper (Bellance 1994 : 78). L'on relève aussi, et c'est un fait d'importance, plusieurs fuites de commandeurs d'esclaves, dont Tranquille qui s'enfuit en 1738 avec douze autres esclaves, et Guillaume, premier commandeur en 1762 de la

---

21 Il va sans dire que ces chiffres sont sujets à caution. Pour d'autres estimations, qui pourtant confirment la même évolution générale, voir David 1973 : 62 et 83.

22 Signalons pourtant l'arrivage de 1810 esclaves de provenance africaine entre juillet 1787 et fin 1788 (Elisabeth 1988 : 1ere partie, II, 188) date, précisément, de la venue à la Martinique de l'ante-Longoué et de l'ante-Béluse d'Edouard Glissant.

sucrerie La Rochefoucauld-Bayers à l'Anse-à-l'Ane; cinq ans plus tard, il est toujours en liberté (74-5). Mais de tels départs ne menacent plus la sécurité de la colonie, encore qu'ils soient économiquement dommageables, d'où les offres d'amnistie que l'on relève à plusieurs reprises au cours du 18ᵉ siècle (80).

C'est après 1815 que le 'grand' marronnage, surtout le marronnage dirigé vers les mornes, semble tarir à la Martinique de façon presque totale. Il n'y a pas eu, comme à la Guadeloupe, d'intervalle de liberté entre 1794 et 1802, et aucune source historique examinée par nous n'indique l'existence de bandes constituées même de dimensions réduites.[23] Si le marronnage continue, c'est maintenant de façon tout à fait individuelle, et ce sont désormais les villes, surtout Saint-Pierre, plutôt que les mornes qui offrent les meilleurs refuges; il y a toujours des fuites à l'étranger, surtout après 1838 lorsque les esclaves dans les îles britanniques voisines sont libérés.[24] Il y a, à partir de 1815, une mutation fondamentale dans l'activité oppositionnelle des esclaves. Conscients que le système esclavagiste entre en crise, et sachant en outre l'existence d'un mouvement abolitionniste en France, les nègres de plantation, tantôt en alliance avec les gens de couleur libres tantôt tout seuls,

---

[23]   Même Glissant (1981a : 69) accepte l'absence, à la Martinique, de *bandes* marronnes après la maturation du système plantationnaire.

[24]   En 1845 il y aurait eu entre 700 et 800 esclaves fugitifs 'français' (Martinique et Guadeloupe compris) à la Dominique, 600 à la Sainte Lucie et 600 à Antigua. Entre 1845 et 1847 un minimum de 185 esclaves se seraient réfugiés aux colonies britanniques (voir Jennings 1988 : 21-2).

s'évertuent à le *renverser du dedans* plutôt que de le *fuir vers le dehors*, d'où les révoltes d'esclaves au Carbet (1822) et à Saint-Pierre (1831), auxquelles il convient d'ajouter la révolte des gens de couleur libres à Grande-Anse (Lorrain) en 1833, encore que les mobiles de celle-ci soient un peu différents. Rien n'indique une participation marronne quelconque à ces luttes importantes, pas plus qu'à la révolte du 22 mai 1848 qui a précipité l'abolition de l'esclavage à la Martinique avant que la nouvelle du décret du 26 avril n'arrive à la colonie : l'idée, typiquement marronniste, de César Pulvar (1956 : 224) selon laquelle une force de 'deux mille nègres marrons' aurait mené la lutte ultime contre l'esclavage est totalement fantaisiste.[25] Qui plus est, avec l'éventuelle exception de celle de Saint-Pierre en 1831, aucune de ces révoltes, le 22 mai compris, n'a été une révolte contre la tutelle française en tant que telle, et encore moins une lutte

---

[25]   Rien n'interdit de penser pourtant que les marrons (dans la mesure où, en 1848, ils ont existé) n'aient pu se présenter comme les nouveaux affranchis aux registres d'individualité comme dans la relation romancée qu'en donne Glissant dans *Le Quatrième Siècle* (1964 : 176-7). L'on remarquera toutefois la différence entre l'interprétation de Glissant - où, 'majestueux dans leurs haillons, traînant comme une parure de dignité leur boue et leur dénuement', ils représentent une 'authentique' liberté *acquise* par opposition à la 'fausse' liberté *reçue* des anciens esclaves - et celle de Patrick Chamoiseau où 'les nèg-de-terre marchaient vers la liberté par des voies bien plus raides que celles des nègres marrons' (1992 : 95) et où ceux-ci, 'déjà libres, fiers', 'se sentaient en marge du mouvement général' (107).   On voit là encore la distance qu'il y a entre le marronnisme 'soft' d'Edouard Glissant et la position essentiellement anti-marronniste de la littérature de la Créolité.

pour l'indépendance.[26] Au contraire, c'était en s'identifiant avec la France libérale d'abord et républicaine ensuite que les esclaves, largement encadrés après 1833 par les gens de couleur libres, entendaient s'opposer à l'esclavage, aux colons et aux forces réactionnaires qui les soutenaient en France. C'est-à-dire que la résistance à l'esclavage à la Martinique a été assimilationniste non seulement dans ses formes mais même, et surtout, dans son fond. Dès 1833, avec l'octroi de droits civiques à la population libre de couleur, suivi, en 1848, de la transformation en citoyens français de tous les nouveaux affranchis, la logique de l'assimilation prend en charge tout l'espace martiniquais. A partir de 1848, il n'y a plus d'extériorité, et toute opposition se conduira à l'avenir de l'intérieur du système, en empruntant à celui-ci ses armes, ses formes et jusqu'à ses façons de penser.

---

[26] En 1831 les esclaves révoltés de Saint-Pierre ont arboré un tricolore marqué 'la liberté ou la more (sic)', écho du 'Vivre libre ou mourir !' scandé par les révoltés du Matouba en 1802, et ont chanté l'antienne libérale *La Parisienne* en substituant 'Marchez contre les colons' au 'Marchez contre leurs canons' de la version française (voir Moitt 1991 : 149-50). Lors de leur exécution, certains des insurgés auraient crié 'Vive la République !' encore qu'il soit possible qu'ils aient entendu par là non la tradition républicaine française mais bien une éventuelle république martiniquaise indépendante à l'haïtienne (voir *Historial Antillais* III, 267). Bien que le doute en soit permis, et bien que les esclaves en question aient pu crier 'On fera ici comme à Saint-Domingue', nous penchons plutôt pour l'hypothèse 'française'.

6. Marronnage et marronnisme

Résumons, pour conclure ce chapitre, les principales divergences qu'il y a entre le 'mythe' marronniste et ce que nous croyons être la réalité du phénomène marron. Le marronnisme, dans son expression 'hard', soutient grosso modo que :

1. le marronnage caribéen a été un phénomène massif, continu et durable;

2. il a concerné surtout des esclaves d'origine africaine, et la culture marronne est en conséquence beaucoup plus 'africaine' que ne l'est celle des esclaves restés en servitude;

3. le marronnage a existé en rupture quasi totale avec le monde habitationnaire et les communautés marronnes ont joui d'une autonomie réelle sinon intégrale vis-à-vis de l'ordre esclavagiste;

4. le marronnage est un refus *inconditionnel* de l'esclavage, et une négation à part entière des mentalités et des valeurs qu'il implique, y compris une éventuelle mentalité d'esclave qui aurait bon gré mal gré renforcé le système;

5. le seul authentique marronnage est le grand marronnage, surtout le marronnage des mornes ; le petit

marronnage et le marronnage urbain ont leur importance, mais, moralement sinon statistiquement, ils restent, en somme, secondaires;

6. le marronnage a constitué la principale source de résistance à l'esclavage, et c'est son exemple qui a inspiré les mouvements de résistance entrepris par les nègres de plantation; de façon directe ou indirecte, le marronnage est la *fons et origo* de toute liberté caribéenne.

Par contre, une lecture des études historiques les plus dignes de crédit suggère (sans pourtant prouver de façon toujours catégorique) que :

1. le marronnage caribéen a été, sauf dans le cas de Surinam et, éventuellement, de Saint-Domingue, un phénomène important, mais loin de massif, dans les périodes d'implantation de la société esclavagiste mais que, sitôt celle-ci consolidée, il est entré en déclin sensible, quitte à ne plus guère exister dans sa forme 'classique' après 1800 sauf, encore une fois, au Surinam, et à la Guadeloupe où les circonstances de 1794-1802 lui ont donné un regain de vie;

2. il a concerné des esclaves d'origine africaine *et* créole,[27]selon des proportions qui ressemblent peu ou prou à celles de l'ensemble de la population esclave; peuvent être marrons nègres à houe, nègres à talents et même commandeurs, bien qu'esclaves domestiques et, plus généralement, femmes esclaves soient plus rares; les cultures marronnes sont en conséquences des cultures créoles composites, même si leur créolité est d'une autre valence que celle de la culture esclave;

3. le marronnage a existé en symbiose avec le monde plantationnaire et, sauf peut-être au Surinam, aucune communauté marronne n'a atteint à une véritable autonomie par rapport à l'ordre esclavagiste, cette 'incapacité de se dégager pleinement de leurs adversaires' étant, par ailleurs, 'le talon d'Achille des sociétés marronnes partout aux Amériques' (Price 1973 : 12);

4. le marronnage a été un refus *conditionnel* de l'ordre esclavagiste avec lequel les marrons ont collaboré, activement ou passivement, et suivant leurs

---

27 Donc sur l'habitation Rochechouart à l'Anse-à-l'âne, 'les marronnages, n'en déplaise aux stéréotypes héroïques, sont plus le fait des créoles que des bossales' (Prudent 1986 : 162).

intérêts concrets, tout autant qu'ils y ont résisté; ils ont préféré, en général, leurs propres libertés au principe de liberté universelle, et se sont souvent comportés vis-à-vis des nègres de plantation avec une cruauté et une arrogance qui n'ont rien à envier à celles des maîtres;

5. le petit marronnage et, surtout, le marronnage urbain sont tout aussi importants, et tout aussi valables, que le soi-disant 'grand' marronnage des bois et des mornes; sont aussi critiques les diverses formes d'opposition pratiquées à l'intérieur de la plantation, en deçà de la résistance physique;

6. passées les premières décennies de la colonisation, le marronnage n'a été qu'une forme d'opposition par abstinence ou absence à l'esclavage; sauf, peut-être, à Saint-Domingue, il n'a joué aucun rôle d'importance dans les révoltes d'esclaves qui, même à Saint-Domingue, ont leurs origines à l'intérieur du système; ils n'ont que très marginalement contribué à la lutte pour la liberté des esclaves, laquelle est l'oeuvre conjointe de nègres de plantation et de ville, gens de couleur libres, abolitionnistes européens et, dans le cas des Antilles françaises, de la Première et Deuxième Républiques.

Ce que nous avons décortiqué ici sous le nom de marronnisme, c'est, répétons-le, la version 'hard' du mythe, essentiellement celle de la soi-disant 'Ecole haïtienne' : nous allons dans le chapitre qui suit en analyser la version 'soft' dans l'oeuvre d'Edouard Glissant, quitte à en poursuivre la déconstruction au moins partielle dans la littérature de la Créolité. Pourtant nous croyons avoir déjà assez dit pour contester l'idée selon laquelle le marronnage aurait constitué une forme d'opposition culturelle fondamentale au nouvel ordre imposé à l'esclave'. Comment soutenir, après la 'trahison' de Cudjoe, la mise à mort de Tacky et la capture de Paul Bogle que 'le Nègre marron est le seul vrai héros populaire des Antilles' en qui 'il y a un exemple incontestable d'opposition systématique, de refus total' (Glissant 1981 : 104) ? Si les Antillais n'ont pas 'fait du Nègre marron [leur] héros tutélaire' (153), peut-être est-ce parce qu'ils se doutent que cet 'héroïsme' n'est pas exempt de scories.[28] Cela dit, passons à l'oeuvre romanesque et théorique de Glissant et tentons de relever, à côté des visions géniales, le gauchissement

---

[28] Seul Gilbert Bazabas (1984 : 39) parmi les 'marronnistes' martiniquais semble se douter des raisons que pourraient avoir les nègres de plantation pour en vouloir aux nègres marrons ou, au moins, pour se méfier d'eux.

fondamental que, grâce au mythe marronniste, il fait subir à l'histoire de son pays.

CHAPITRE II

EDOUARD GLISSANT ET L'ILLUSION MARRONNE

Il ne saurait être question, dans le cadre restreint de ce chapitre, d'une étude approfondie de tous les thèmes dans l'oeuvre d'Edouard Glissant qui se rattachent, de près ou de loin, au phénomène marron; de telles études existent, dont certaines de haute qualité, encore que la plupart acceptent comme historiquement vérifiée la problématique du marronnage telle que la définit Glissant.[1] C'est précisément cette problématique, et la vision historique qui en découle, que nous voulons ici révoquer en doute pour faire voir en quoi la tentative de Glissant de recomposer l'expérience martiniquaise autour de la figure ou plutôt du mythe du marron l'amène à une méconnaissance fondamentale de l'histoire de son pays qui, pour surdéterminée qu'elle soit (DA 155), ne saurait en aucun cas être réduite à une prétendue 'non-histoire' (DA 100, 131 etc)[2] dont les ressortissants n'auraient rien créé de façon autonome au cours de plus de trois siècles et demi de domination étrangère. La valorisation glissantienne de l'hypothétique 'Marron primordial' ou 'Négateur' (M 189) a pour corollaire nécessaire la dévalorisation du non-marron, tout comme l'hypostatisation des mornes comme domaine de l'authentique entraîne une dégradation symétrique de la plaine et surtout, comme nous allons le voir, de la ville dont

---

[1]   Voir surtout Cailler (1988), Crosta (1991) et, paru après la rédaction de ce chapitre, Dash (1995).

[2]   Dans ce chapitre et le suivant, nous employons les sigles que voici : CC = *La Case du commandeur* (1981), DA = *Le Discours antillais* (1981), L = *La Lézarde* (1958), M = *Malemort* (1975), My = *Mahagony* (1987), PR = *Poétique de la Relation* (1990), QS = *Le Quatrième Siècle* (1964) et TM = *Tout-Monde* (1993).

l'occultation, à partir de *La Lézarde*, est sans doute un des traits les plus frappants, et pourtant des moins commentés, de l'univers romanesque de Glissant. C'est toutefois dans la plaine - d'abord sur les habitations, et puis dans les bourgs et dans cette zone interstitielle et par définition ambiguë qui se situe *entre* la plaine et les mornes - que la vaste majorité des Martiniquais ont, par le passé comme aujourd'hui, construit leur vie face à des pressions bien autrement éprouvantes que celles qu'ont connues les 'gens d'en haut', et par conséquent dans la plaine aussi que s'est construit l'essentiel de l'histoire martiniquaise, histoire qui allie, comme toute histoire, révolte et compromission, refus et acceptation et qui, si elle manque d'événements' dans le sens banal du terme (DA 100) et si tout, ou presque tout, s'y passe dans un contexte déterminé d'ailleurs, ne manque pas pour autant d'une logique et d'une dynamique propres. Bref, ce que Philippe-Alain Yerro (1990 : 103) a appelé la 'systématisation du marronnage' chez Glissant a eu pour conséquence, selon nous, un décentrement et donc une déformation du vécu martiniquais auxquels les écrivains de la Créolité, pourtant si proches de Glissant, porteront remède en revalorisant, précisément, l'expérience de l'habitation ainsi que celle, plus tard, de la ville. Si déformation il y a, elle a ses origines dans les premiers romans de Glissant quitte à devenir plus flagrante à partir de *Malemort* (1975) qui fait charnière entre la vision somme toute optimiste de *La Lézarde* (1958) et du *Quatrième Siècle* (1964) et celle, de plus en plus pessimiste, de *La Case du commandeur* (1981) et de *Mahagony* (1987). C'est donc un traitement chronologique du thème du marronnage chez Glissant qui s'impose et qui nous mènera, de déformation en déformation, de la vision cohérente encore que peu conforme à l'histoire du *Quatrième Siècle* à l'incohérence parfois magistrale de cet énorme fourre-tout de thèmes marronnistes qu'est *Tout-Monde* (1993) où, toute direction téléologique se perdant en dérives et dévires à l'infini, le marronnage, de 'créateur' qu'il était dans les premiers ouvrages,[3] se révèle comme frappé d'une stérilité inexpugnable.

---

[3] Glissant emploie l'expression 'marronnage créateur' que Suzanne Crosta a prise comme titre de son excellente étude (1991) dans PR 85.

1. Héroïques marrons : *La Lézarde* et *Le Quatrième Siècle*

On l'a maintes fois souligné, tout l'univers romanesque d'Edouard Glissant se structure, et cela dès les premières pages de *La Lézarde*, à partir d'une opposition binaire entre les 'légendes des montagnes' et les 'réalités grises, précises, de la plaine' (L 32), soit entre 'la forêt marronne' (207), domaine de la liberté, de l'authenticité et du refus, et 'la vie monotone des campagnes' (76) où 'les cannes inexorablement mûrissent' pour condamner ceux qui y triment au 'maudit des récoltes sempiternelles' (51) dans 'les plaines de culture à odeur de sueur et de mort' (120), où règne, à côté des 'terribles labeurs quotidiens' (181), 'la rigueur des misères communes' (72). Termes que l'on retrouve, à peine modifiés, dans *Le Quatrième Siècle* : d'une part 'la netteté tragique de la plaine' (QS 12), 'la plaine nette et carrelée' (47), où l'on vit d'une vie 'chaque jour plus lente, plus sombre, plus amère, sans éclats, sans une montagne, sans une ravine' (59) sur une terre 'égalisée partout et striée de l'uniforme carrelage' (272), et, de l'autre, 'la verdure originelle' (85), 'la zone de forêt triomphante' (117) tout à fait étrangère à 'la zone stérile des travailleurs' (113), où il règne 'une douceur d'existence qui surprenait, après les lourdes moiteurs de là-bas' (104). 'Il y avait la plaine ici et là les mornes' (147), et pourtant la frontière entre les deux n'est jamais étanche et surtout jamais stable du fait que, chaque année, il se fait une 'avance de la terre cultivable dans le fouillis originel' (100) et, beaucoup plus rarement, une contre-avance de celui-ci sur celle-là, de sorte qu'il y a 'presque une lutte entre la mer de terre et le rivage d'arbres

69

sombres' (43) qui se règle presque toujours au profit des 'champs rétrécis, inertes' (84) dont les 'carrés verts' (39), les 'carreaux labourés' (43), quadrillent désormais le pays : 'la terre s'était repliée sur elle-même, abandonnant la côte sans âme, ménageant entre la côte et les hauteurs où elle fécondait et multipliait sa prodigieuse portée un espace dégénéré où les hommes s'évertuaient à durer' (129).

Espace donc bipolaire dont la partie supérieure - moralement comme topographiquement - appartient aux Longoué et la partie inférieure aux Béluse, ou plutôt aux maîtres de ceux-ci, deux 'familles - si c'est familles - si opposées mais si unies de destinée' (TM 81) qui vont se confronter et en même temps se compléter tout au long de l'oeuvre romanesque de Glissant en tant que 'ceux qui refusèrent et ceux qui acceptèrent' (QS 57). Il n'est guère besoin de retracer ici les circonstances qui font de 'l'ante-Longoué' (TM 93, 427) un 'marron du premier jour', voire 'un marron de la première heure' (QS 45), et de 'l'ante-Béluse' l'incarnation de l'acceptation, de la survie opiniâtre et surtout de 'l'incroyable patience' (18), sauf pour souligner qu'il faut absolument au dessein idéologique de Glissant que le premier soit né en Afrique et que, loin de s'échapper de l'esclavage, il n'y soit même jamais astreint : le marronnisme, même dans sa version 'soft', exige que le marron soit pur de toute macule esclavagiste, car c'est à ce titre seul qu'il peut être promu en 'créateur sans reproche' (17) d'un univers à part et fondateur d'une lignée de refusants qui ne s'éteindra qu'avec la mort de Papa Longoué en 1945, à la veille de la départementalisation de la Martinique. Bien que l'ante-Longoué ne soit pas 'le premier absolument' (24), car il a été devancé historiquement par des milliers d'autres esclaves, il l'est en ce qui concerne l'univers romanesque du premier Glissant qu'il fonde dans une seule et légitime origine paternelle. Trait d'union vivant entre le pays d'avant et le pays d'ici, le premier Papa Longoué assure une continuité qui ne sera perdue qu'avec la mort de son homonyme plus d'un siècle et demi plus tard. Il est 'l'initiateur', 'le découvreur du pays nouveau' (24), dont l'incompréhensible et indéracinable présence' (83) donne l'illusion, pour un temps, que tout, ici, se structure à partir d'un commencement unique, pur et absolu qui fonde en nature l'ordre humain qui en est sorti. Double du romancier, le premier Papa Longoué constitue un signifiant transcendant dont la force se consolidera dans la personne de son fils Melchior avant de se diluer de génération en génération jusqu'à la mort de son épigone en 1945, laquelle disséminera en atomes centrifuges tous les éléments que l'héritage du fondateur avait su jusque-là composer en un ordre.

Pourtant l'ante-Longoué ne peut pas créer seul, et sa descente à la plantation de celui qui ne fut jamais son maître pour libérer l'esclave créole Louise inaugure toute une série d'échanges entre 'ceux d'en haut' et 'ceux d'en bas' qui, se déroulant sur plus d'un siècle et demi, en arriveront à brouiller sinon à déconstruire la première distinction, pourtant si nette, entre ceux qui refusent et ceux qui acceptent. Va-et-vient perpétuel entre les mornes et la plaine où ceux d'en haut sont entraînés en bas pour des besoins matériels et sexuels avant tout et où ceux d'en bas sont comme aspirés en haut par une soif d'authenticité qu'ils ne peuvent assouvir chez eux. Pourtant il ne se produit aucun mélange, et encore moins de synthèse, entre les deux domaines qui, pour être reliés, n'en restent pas moins distincts. 'Je marche dans les bois, sans descendre,' insiste le dernier Papa Longoué (16), en faisant écho à son étymon qui, lorsque les autres marrons pour qui il est devenu un 'centre' et 'refuge' lui parlent 'd'une possibilité de redescendre dans la plaine', secoue impassiblement la tête et leur explique que 'les mornes étaient le seul endroit où ils pourraient tenir' (94). Aussi ne s'étonnera-t-on guère que lorsque son deuxième fils Liberté Longoué est attiré en bas par désir d'une fille de la plaine qui a été 'lâchée en liberté dans l'espace entre l'*Acajou* et le Morne' (140), c'est pour être en fin de compte tué dans cette même 'zone neutre' (118) par son rival en amour Anne Béluse, fils du premier Béluse, dont le prénom androgyne incarne son tiraillement entre le monde à dominante féminine, voire matriarcale, d'en bas et celui, fortement masculin et patriarcal, d'en haut.[4] Frère ennemi de Liberté Longoué, 'le fils de l'esclavage avait marronné dans les bois' en quête d'amour, mais il n'est pourtant qu'un 'marron par accident' que n'habite pas 'la vocation du marron, qui est de se garder en permanence contre le bas, contre la plaine et ses sujets, de trouver ainsi la force de survivre' (142). Ainsi Anne Béluse ouvre un nouveau mouvement dans l'histoire martiniquaise en se taillant 'aux limites de l'habitation, dans la zone de forêt triomphante, un petit carré de cultures', domaine intervallique 'à mi-chemin des mornes' qui va lui permettre sinon de concilier le morne et la plaine, ce à quoi, comme nous allons le voir, aucun personnage de Glissant ne

---

[4]   Sur l'espèce de matriarcat ou, mieux, de gynocratie qui existe sur la plantation de Senglis, voir QS 67-70.

parviendra jamais, au moins de faire la navette entre les deux et de satisfaire ainsi en partie la double impulsion de son être. 'Esclave qui subvenait lui-même à ses besoins mais n'en était pas moins tenu de répondre à n'importe quelle réquisition', Anne jouit, dans les interstices ou, mieux, sur l'interface du système esclavagiste, d'un 'statut spécial' (117-8), d'un 'statut nouveau' (131), qui sera généralisé au moment de l'abolition qui libérera les esclaves de la servitude juridique sans pour autant les délivrer du monde habitationnaire aux marges duquel ils continueront, en grand nombre, de vivre. Située 'dans la frange des bois' desquels elle 'participait sensiblement', la 'mince bande de terre' où Anne construit sa case 'était à la fois, comme lui Anne partagé entre deux tourments, servante de la plaine et soeur de la forêt, posée en équilibre sur la frontière indistincte de deux mondes' (142-3). Zone intermédiaire tout à fait typique de la nouvelle donne post-esclavagiste et où, à partir de 1848, de plus en plus de Martiniquais essaieront, tant bien que mal, de se créer un espace bien à eux qui ne relève ni de la liberté - en vérité une pseudo-liberté, comme nous allons le voir - des mornes ni de la servitude de l'Habitation.[5] A la première opposition binaire du morne et de la plaine succède, après et même avant 1848, une répartition ternaire de l'espace à laquelle va

---

[5]   C'est dans 'un petit espace indéterminé' pareil situé dans 'une zone de terre sablonneuse impropre à la culture' (167) que, de façon encore tout à fait caractéristique, la Famille Targin, née de la rencontre d'un géreur et d'une femme esclave, établira sa propriété de La Touffaille.

rapidement s'ajouter un quatrième élément - la Ville - qui sera presque totalement occulté dans l'oeuvre romanesque de Glissant.

Pour ceux qui restent en haut, surtout pour le premier fils de l'ante-Longoué, Melchior, premier créole de la lignée, les dernières décennies de l'esclavage marquent une période d'enracinement dans un monde à part que, de plus en plus, l'ordre colonial leur concède de fait sinon de droit :

> Les marrons étaient tranquilles dans leur retraite : la chasse qu'on en faisait n'était plus que par principe, pour ne pas perdre la main, pour maintenir un droit public dont à la vérité nul parmi les planteurs ne se souciait personnellement. [..] Les marrons respiraient à cette époque, ils avaient presque cessé d'être une monstrueuse exception pour devenir une sorte de petite population tacitement agréée de tous. Bien sûr la peur qu'ils inspiraient, non seulement aux maîtres mais aux esclaves et aux affranchis, et surtout aux mulâtres, peur entretenue par les planteurs, ne diminuait pas. C'était la coutume de menacer les enfants de les faire enlever par un marron. Car le marron était pour les populations la personnification du diable : celui qui refuse. Peut-être, lorsqu'on en attrapait un, lui faisait-on payer, plus que par le passé, l'insolent et l'incongru de son existence; mais cela était de plus en plus rare, et le nombre des manchots diminuait. (129)

Grâce à cette liberté concédée plutôt que conquise,[6] Melchior 's'attacha donc à prendre souche' (148) : 'il était pour toute la famille (comme pour les marrons qui alentour étaient l'écho de la famille) la racine alourdie qui prend racine dans la terre' (150). A mesure que l'ordre plantationnaire s'empare de la totalité de la plaine, 'la vie, ce qu'on appelle la vie et dont chacun voit qu'elle est l'élan de la racine, avait quitté la Côte et pénétré les bois sur la hauteur' (127), et c'est désormais la fonction de Melchior, 'fondu dans la vague énorme de la forêt' (137) comme s'il était une branche vivante du 'tronc énorme du morne' (53), de pourvoir de racines de substitution ceux qui en manquent de réelles, 'les nègres à demi morts' qui montent des 'terres clairsemées, la vie réelle et souffrante' (137) pour le consulter : 'Tel était son pouvoir qu'il regagnait sur les terres cultivées, comme s'il était à lui seul une forêt puissante assiégeant les champs' (136). Parasitaire et même bénéficiaire d'un monde qu'il refuse et secourt à la fois, Melchior, plus que son père, le 'premier sarment', 'la souche' (17), représente l'apogée de la lignée Longoué, apogée à partir duquel l'héritage à transmettre' (199) commence à s'effriter tout comme la lignée elle-même au point où le dernier Papa Longoué est 'à peine un bon quimboiseur', une 'dérisoire et dernière pousse' du tronc planté en sol martiniquais par l'ancêtre africain, une 'branche sans force dont on peut dire qu'elle faisait partie de l'arbre, point final' (17-18). Agé de cinq ans lors de la mort de son père, le dernier Papa

---

6   Dans *La Case du commandeur* (120) Melchior est décrit comme 'un marron presque officiel de l'Habitation *L'Acajou*'.

Longoué n'a reçu que des fragments du legs familial, et, de ces fragments, il n'a pu transmettre à peu près rien à son fils Ti-René mort, après une enfance de vagabondage, en combattant en France dans la première guerre mondiale : en vérité, Papa Longoué mérite à peine son titre, car il 'n'avait jamais pu rien raccrocher à rien, ni son père à son fils, ni par conséquent le passé à l'avenir' (19, voir aussi 149). Mathieu, le fils de substitution à qui, vers la fin de sa vie, il s'engage à transmettre les connaissances qui lui restent, a beau lui dire qu'il a 'oublié sans oublier puisque tu vis dans les hauteurs loin de la route' (57), Papa Longoué II représente en réalité non la force d'une tradition mais sa dispersion dans le temps et l'espace, une continuité apparente que minent les signes indubitables d'une discontinuité réelle. Bien avant sa mort la branche tardive qu'est le dernier des Longoué est déjà 'là par terre' (18), ce dont Mathieu se rend compte en s'avouant que 'nous sommes sur la branche sans racines, nous tremblons à chaque vent par ci par là sans raison' (156). La possibilité de ce que Glissant appellera plus tard une 'identité-racine' (PR 157, voir le chapitre qui suit) est déjà épuisée avant la mort de Papa Longoué II, laquelle ne fait qu'entériner le dépérissement de l'héritage de la lignée.

Le 'vieux guérisseur, le vieux marron' (L 217-18) que la fin de La Lézarde avait voulu constituer en poteau-mitan d'une éventuelle identité-racine martiniquaise est donc révélé, dès le début du roman qui lui fait suite, comme la dernière branche débile d'un arbre qui, depuis longtemps, se mourait. Avec sa mort, 'la vieille Afrique s'en va' (L 220) - en réalité elle s'en était allée avec le départ de la Rose-Marie de la côte d'Afrique en 1788 - et les Martiniquais qui lui survivent, Mathie, Mycéa, Thaël et les autres, entrent dans un monde décentré où, faute de figure paternelle ou de signifiant transcendant, tout est à reconstituer. Mais plus on regarde ce qu'ont *fait* les Longoué pendant le siècle et demi qu'ils ont occupé une partie de l'espace martiniquais, plus leur histoire devient suspecte, et plus on se demande si les véritables héros de la geste martiniquaise, les véritables architectes de l'antillanité-créolité, ne sont pas en réalité les Béluse tant honnis, eux qui, 'intrépides dans la souffrance' (TM 93), ont joint à une 'apparente soumission' (TM 11) une volonté coriace de survivre dans un monde qu'il fallait chaque jour dompter, manipuler et mettre à leur mesure et où, souvent, il était nécessaire de *résister* aux forces qui les menaçaient de mort physique ou morale. Par contre, les Longoué, eux, s'ils ont *refusé* de tout temps l'esclavage et les formes de domination qui lui ont succédé, n'y ont presque jamais *résisté* dans le sens fort du terme. Il est vrai que, lors de la révolte d'esclaves de 1789, les marrons 'descendirent tous et brûlèrent quelques plantations, pour aider ceux d'en bas qui s'étaient dressés' mais l'ante-Longoué pour sa part ne s'en occupe que 'pendant quelques semaines' :

Cependant ses incursions dans la plaine furent brèves. Il brûlait et se repliait. Ainsi ménagea-t-il les forces dont il disposait. [..] Peut-être considérait-il les esclaves comme indignes de son secours. Il n'entendait garder aucun contact avec le bas. *Pourquoi ne marronnaient-ils pas tous ?* Il ne savait pas ce que leur lutte et leur souffrance avaient d'utile. Il ne comprenait pas que toute la masse n'aurait pu monter. La forêt n'eût pas suffi à les abriter,

encore moins à les nourrir. Il ne savait pas
qu'ainsi leur tourment, et même leur
acceptation, le protégeaient. Il était en marge.
(QS 94, italiques dans l'original)

Glissant suggère même que, dans cette participation
assez erratique des marrons aux révoltes d'en bas, il y
a quelque chose d'un tantinet théâtral, comme s'il
s'agissait pour eux de se manifester sans vraiment
combattre avant de se retirer encore dans leur redoute
sylvestre. Lorsque, pendant les dernières décennies
de l'esclavage, les marrons 'de loin en loin
descendaient pour ravager la plaine', Melchior, qui
s'abstient de partir avec eux, pense qu'ils 'allaient se
battre parce que ceux de la plaine se dressaient, c'est-
à-dire chaque fois que les méprisés, les esclaves, les
enchaînés acceptaient de mourir pour permettre aux
superbes, aux indomptés, le geste spectaculaire de
l'incendie et du combat' (147). Ce sont donc les
Béluse qui meurent et les Longoué qui s'auréolent de
gloire, tout comme l'ante-Béluse est 'plus souffrant et
malheureux' que l'ante-Longoué qui, lui, est 'fier et
matador' (TM 93). Ainsi non seulement les marrons
ne prennent aucune part importante aux révoltes
d'esclaves au Carbet (1822) et de Saint-Pierre (1831),
et encore moins à celle des mulâtres à Grand-Anse en
1833 (celle-ci rapidement évoquée en *Mahagony* (My
207)), ils ne jouent qu'un rôle de comparses dans 'le
grand *goumin* de l'abolition' (QS 169) - c'est-à-dire
dans l'insurrection du 22 mai 1848 - dans lequel
'ceux du soulèvement pour une fois, esclaves ou gens
des bourgs, avaient eux-mêmes allumé leur incendie'
et auquel 'seigneurs des plantations' et 'seigneurs-
marrons des bois' sont également étrangers (173). Ce
qui n'empêche pas ces derniers, 'majestueux dans

78

leur haillons, traînant comme une parure de dignité leur dénuement', 'superbes' dans leur privation même, de ressentir 'la satisfaction de celui qui voit légitimer son existence ou ratifier son passé' en même temps qu'un 'vague regret des jours révolus, quand le danger de vivre les élisait au plus haut de l'ordre de vie' (176-7).

Il en va de même pour les mouvements de contestation populaire post-esclavagistes. Qu'il s'agisse de la grande insurrection du Sud de septembre 1870 (évoquée deux fois en passant dans les romans de Glissant (QS 201, M 69), et chaque fois de façon à lui nier toute dynamique propre); de la grève du François de 1900, passée tout à fait sous silence, comme l'est par ailleurs la grande grève des coupeurs de canne de février 1935; de la Libération de juin 1943 au cours de laquelle la foule foyalaise a joué un rôle qui n'était pas secondaire à côté des troupes françaises et sénégalaises du commandeur Tourtet et que Glissant gomme tout à fait malgré l'importance qu'il attache, à juste titre, à ces années-charnière de l'histoire martiniquaise[7]; de la grève du Carbet de 1948 (mentionnée dans QS 280); des émeutes de décembre 1959 que Raphaël Confiant évoquera en détail dans *L'Allée des Soupirs* (1994) mais auxquelles Glissant n'accorde qu'une mention (M 127), enfin de la grève bananière de Basse-Pointe de 1974, tous ces *événements*, exception faite du dernier, traité avec le pathétique qui lui convient dans *Malemort* (130), sont

---

[7]   Pour la libération de la Martinique en juin 1943, et la convergence entre forces 'martiniquaises' et 'françaises' dans son élaboration, voir Burton (1995).

soit supprimés par Glissant soit présentés d'un point de vue décentré qui est celui des Longoué comme il l'est, paraît-il, du romancier lui-même. Bref, l'histoire de la Martinique ne devient une 'non-histoire' que parce que Glissant a choisi de la traiter comme telle en supprimant ou en faussant son contenu réel et en la présentant comme une simple réfraction déformée de l'histoire de la France (voir DA 100-1, 130-3, 155-7 etc). Ce faisant, il l'a détournée, cette histoire, de son centre véridique, qui se trouve sur la plaine (sur les habitations d'abord, et puis sur celles-ci et en ville), pour la recentrer, tout à fait abusivement à notre avis, dans la forêt et sur les hauteurs des mornes. Ce sont les Béluse qui ont *fait* l'histoire martiniquaise (dans un contexte certes surdéterminé par celle de la France) et les Longoué qui, du haut de leur morne, les ont regardés la faire. Refuser n'est pas forcément résister - ou plutôt ce n'est pas résister du tout - et, loin d'être le créateur d'une histoire, le Négateur est un spectateur avant tout qui n'a jamais appris 'la leçon de la plaine', à savoir 'l'urgence de combattre, le lent travail par lequel son peuple, à travers tant de mirages, tendait vers la plus exacte qualité de lui-même (L 181). Faute d'avoir appris cette leçon, il ne lui reste que le mirage d'un marronnage sans fin, soit à l'intérieur soit à l'extérieur d'un pays qui, ni dans l'un ni dans l'autre cas, ne sera jamais le sien.

Le sens de l'histoire façonnée par ces Béluse que sont, en leur vaste majorité, les Martiniquais passés et présents, c'est, surtout au tournant critique où se situe *La Lézarde*, celui d'une assimilation de plus en plus poussée avec la France. Assimilation dont le lieu même est la ville, Fort-de-France surtout (qui n'est *jamais*, sauf erreur, évoqué dans l'oeuvre romanesque de Glissant) et puis Lambrianne (Le

Lamentin) qui, après avoir fourni à *La Lézarde* un de ses cadres principaux, disparaît plus ou moins de l'oeuvre postérieure de Glissant. Mais quel pauvre 'assemblage', pas même 'un trou' (L 125), que cette deuxième ville de la Martinique, 'cet enclos, cette absence' (124) qui n'est qu'une 'antichambre de l'usine' (72) avec sa 'rue sans profondeur' (124) et 'banale' (21), ses 'maisons tellement banales' (210), la 'rassurante banalité' (211) de sa place centrale et les 'lumières banales' (245) qui l'éclairent ... 'Plate' (87), 'basse et monotone' (109), 'misérable' (127, 157) 'mesquine' (127, 129), l'évidence banale' (124) de la ville renchérit sur la 'dangereuse banalité' de l'usine (71), la 'banalité' des petites bandes (52) et la 'banalité présente' de la canne (72) pour en faire le lieu même de l'aliénation que portera à son comble 'la terrible régression que fut l'assimilation' (DA 118). Cela suffit pour indiquer que la vision romanesque et politique de Glissant est *anti-urbaine* en principe mais justifie à peine la simple radiation de la Ville de la carte historique du pays. Le Négateur nie ce qui ne s'accorde pas avec sa conception du monde : il faudra attendre Patrick Chamoiseau pour qu'un écrivain martiniquais s'attache à vraiment comprendre la Ville et à déceler les comportements marrons qui se dessinent dans le centre même du système du pouvoir.

La Martinique de *La Lézarde* et surtout du *Quatrième Siècle* est donc une inversion de la structure réelle du pays qui, ne l'oublions pas, 'est à Béluse autant qu'à Longoué' (QS 59). Géographiquement, le centre où demeurent des dizaines de milliers de Béluse est évincé au profit des marges où s'agglutinent de petites populations de

Longoué. Historiquement, le drame se joue entre les mornes et la plaine, alors qu'en réalité c'est sur la plaine et entre les trois éléments qui la constituent - habitations, villes et zones intervalliques - que l'essentiel de l'histoire du pays s'est construit. Humainement, la primauté en revient aux hypothétiques Longoué - 'les Béluse avaient toujours suivi les Longoué au long du temps, comme pour les attraper' (QS 16) - alors qu'en effet ce sont des Béluse bien réels qui ont, et cela dès l'esclavage, pris l'initiative dans l'édification du pays. Dans la mesure où l'opposition entre les mornes et la plaine est une fausse opposition, il n'est guère étonnant qu'aucun personnage chez Glissant n'arrive à concilier les deux et encore moins à en réaliser la synthèse. Valérie qui 'avait en elle toutes les grandeurs de la montagne et toutes les forces de la plaine' (L 182) est tuée à la montagne par les chiens de Thaël qui, lui, quitte la Martinique malgré le fait qu'ayant 'contracté dans sa chair et dans son esprit tous les Béluse et tous les Longoué ensemble' (TM 94) il a, plus que tout autre, la possibilité de synthétiser les deux. Quant à Mathieu, 'c'est un Béluse mais c'est comme un Longoué, il va donner quelque chose' (QS 11) : lui aussi s'en va, laissant derrière lui Mycéa, écartelée entre les mornes et la plaine et constamment 'attirée par les hauts' (CC 172), qui, devenue folle, va enfin marronner dans les bois. C'est ainsi que la conclusion du *Quatrième Siècle*, que Glissant aurait certainement voulu optimiste, contient à l'état larvaire le pessimisme qui va se solidifier dans les romans qui suivent : 'Les Longoué, seigneurs des hauts, étaient taris. Les Béluse qui les avaient si longtemps suivis (pour les rattraper ou peut-être les vaincre) étaient dispersés, inconnus les uns des autres' (QS 286). Avec la mort

82

de Papa Longoué dont la vocation, manquée, avait été 'de réunir et d'amarrer les Béluse les Longoué les Targin les Celat' (TM 94), toute possibilité de synthèse est perdue, et il ne s'agira désormais que d'un éparpillement (CC 43, 44, 53, 123 etc) de 'moi disjoints qui nous acharnions vers ce nous' (CC 42) qui, à tout jamais, se dérobe ... Ce sont ses innombrables 'traces' ou 'dérives' de plus en plus individualisées et stériles que nous allons maintenant essayer de suivre, à commencer par ces derniers avatars du nègre marron que sont Mani-Marny et 'Beautemps ou Beaufils ou Beausoleil ou Beau ce que tu voudras' (M 47) en qui nous allons voir, à la suite de Glissant, à la fois un prolongement, une refonte et une dégradation de cet hypothétique 'Marron primordial' (M 189) si cher et si nécessaire à l'auteur.

2. Décadences : *Malemort* et le cas Beautemps - Beauregard

Malgré sa prétendue banalité, la vie de la plaine telle qu'elle se dessine dans *La Lézarde* et *Le Quatrième Siècle* reste au moins fonctionnelle, grâce à la rentabilité de l'économie de plantation et à la force opiniâtre de la culture populaire qu'elle soutient. A partir du milieu des années 1950, pourtant, ce sont précisément cette économie et cette culture qui vont entrer en décomposition accélérée dont les émeutes de décembre 1959 font figure de symptôme. Les éléments de la transformation subie par la Martinique entre 1958, date de la publication de *La Lézarde*, et 1975, date de celle de *Malemort*, sont assez connus pour qu'on les énumère ici sans analyse[8] : dépérissement de l'économie sucrière avec, pour conséquence, la mutation d'une 'colonie de production' en 'colonie de consommation', tertiarisation de ce qui reste de l'économie accompagnée d'une 'hyperbolisation des superstructures' (DA 168), surtout de l'administration, déstructuration rapide de cet 'arrière-pays culturel' (DA 166) élaboré pendant des siècles et folklorisation des miettes qui en restent, chômage endémique auquel tentent de remédier une politique systématique d'émigration et la mise en place d'un dispositif d'assistanat généralisé tendant à développer 'une mentalité de mendicité organisée, officialisée, qui constitue la pire des formes de mort

---

[8] La meilleure évocation de cette transformation reste l'article intitulé 'Une société morbide et ses pulsions' que Glissant a publié dans *La Monde diplomatique* en juin 1977 et qui est repris dans *Le Discours antillais* (166-83). Pour une discussion en anglais, fort influencée par Glissant, voir Burton 1978.

collective' (DA 170), tous ces éléments s'imbriquant les uns dans les autres pour créer un climat de non-productivité propre à toutes les aliénations économiques, sociales, culturelles et mentales, qui a fait Césaire protester contre le 'génocide par substitution' qui menacerait le pays et Glissant, lui, contre un 'génocide culturel' (DA 173) tout aussi mortifère pour son peuple. 'L'homme martiniquais ne cesse de se lézarder, de se dégrader' (DA 176) : ce sont ce lézardement et cette dégradation qui constituent le thème de *Malemort* et de *La Case du commandeur* qui tous deux fissurent en discontinuités et fragments tout ce que *La Lézarde* et *Le Quatrième Siècle* avaient laborieusement tressé et tissé ensemble.

Malemort et *La Case du commandeur* préservent, en la modifiant, l'opposition primaire entre 'la foison frissonnante des hauts' (M39) et 'la terre banalisée' (M211) en bas, mais déjà la transformation d'une 'civilisation de la forêt' en 'civilisation de la savane', amorcée, selon Glissant, aux alentours de 1900, avait introduit un troisième élément - la Ville - en divisant le peuple 'd'une nouvelle manière : ceux qui restaient dans les mornes avec les coulis obstinés, ceux qui s'égaillaient dans les bourgs pour le meilleur et pour le pire' (CC 104-5). L'immédiat après-guerre, ce 'temps où toute métamorphose était possible, rien n'étant emboué comme aujourd'hui', aurait représenté une dernière 'occasion de monter vraiment sur les mornes' (CC 172-3), occasion manquée comme tant d'autres, car c'est surtout à la suite de la départementalisation qu'en nombres massifs 'le pays descendait le morne' (CC 187) :

Regardez que vous êtes né dans l'impénétrable originelle où l'arbre est mélangé à l'arbre sans pouvoir de séparation, et si vous tombez dans les ans qui succèdent, et faille que vous gagnez votre vie, et pour payer votre habillement, alors vous dégringolez du noir d'en haut à toujours plus ras et plus plat, canne, banane, ananas, jusqu'à Volga Plage où sont rassemblés les retours de la souffrance. (CC 191)

Plus les mornes descendent à la plaine, plus la plaine, à son tour, monte aux mornes : fonctionnaires à la recherche de leurs 'sources' 'commençaient à 'acheter des morceaux de terrain et à faire planter les ignames' et même 'Monsieur Trois-Mulâtres lui-même [..] eût accepté de monter sur les mornes pour au moins regarder le sarclage des patates et le tutélage des pois d'angole' (CC 211-12). Partout 'routes goudronnées' et 'maisons cimentées' (CC 214) empiètent sur les mornes, alors que la plaine succombe sous le poids des 'nouveaux entassements de ciment verrouillés de lames de verre, les cubes de béton à trafic intense, les parkings surpeuplés, les tours à étages, les hôtels carrés dans les hauts de plage, les sociétés SO MI DO VAG DE RAG ME SI DAM CA MAG REM NO PAM plus tassées que titiris' (M 205) ; signe tragique entre tous, la Lézarde qui reliait les mornes à la plaine et ceux-ci tous deux à la mer 'bientôt va tarir dans la dérision [d'une] zone industrielle' (M 61). Bref, la terre entière est une Habitation' (M 146), mais une Habitation qui ne produit plus rien, un simple 'pays de surface où chacun fait semblant de faire' (M 226). Dans le monde de *Malemort* inutile de dire qu'il faut monter [..], il faut marcher en hauteur' (M 38), là-haut est à peine moins étriqué qu'en bas. Comment marronner, enfin, quand les mornes sont devenus Habitation eux-mêmes ?

C'est cette aporie qui incite Glissant, en désespoir de cause, à essayer de réinventer et surtout de systématiser le mythe d'un 'premier Négateur aujourd'hui aboli de la mémoire de tous' (M 49), 'celui qui dans toute autre langue que cette absence et ce manque d'ici on eût sans doute appelé l'Ancêtre et qui n'était plus qu'un vague noeud au ventre, un cri sans feuille ni racine, un pleurer sans yeux, un mort sans retour' (M 61). Sans cet Ancêtre mythique, toute l'histoire martiniquaise ne sera qu'une dérive sans sens auquel seule l'option assimilationniste pourra imposer un ordre, mais Glissant sait pertinemment qu'il ne suffit pas de prôner la mémoire et l'exemple d'un hypothétique Marron primordial alors que 'toute volonté de se souvenir de la première nuit et du Négateur s'était comme dessouchée des têtes et des ventres' (M 67). Il faut en trouver des avatars modernes, et c'est là tout le problème. Le trio emblématique Dlan Médellus Silacier ne peut guère y satisfaire, eux qui tournent en rond sur eux-mêmes sur la plaine 'comme une troupe en marge du combat' comme ils sont 'en marge l'un de l'autre' (M 23), solitaires dans leur solidarité même, condamnés à 'reproduire par dérision violence innocence ou plaisir de jeu le chemin du Négateur venu d'ailleurs' (M 61), et c'est presque par nécessité que Glissant a recours à un personnage déjà promu en mythe par l'imagination collective martiniquaise, l'économe René Beauregard qui va paraître dans *Malemort* comme 'Beautemps ou Beausoleil ou Beauregard ou Beau quoi que ce soit' (M 42) - ou encore comme Beaucorps, Beaumaison, Beautapis, Beauzébu et même Beaulongoué (M 54) -

avant d'être désigné dans *Mahagony* surtout sous son nom de voisinage Maho, lequel fait de lui, littéralement, un être de la même souche que l'enfant marron Gani dont la brève vie (1815-31) fait pendant à la sienne comme à celle, plus tard encore, de Mani-Marny : 'Voilà pourquoi le nom de voisinage de ce géreur est le commencement du bois tout comme l'enfant était à la fin' (My 104).

Né le 25 octobre 1912 au Marin, René Louis Gaëtan Beauregard[9] était employé comme économe sur une plantation du sud de la Martinique, position qui le situe dans ce que Marlène Hospice (1984 : 150) appelle 'une zone-tampon qui résonne de toutes les contradictions sociales' de l'époque, au-dessus des travailleurs et travailleuses de sucre qui sont noirs comme lui mais au-dessous du géreur qui, suivant la tradition, est un petit béké. Connu pour sa violence et surtout pour sa jalousie à l'égard de sa femme, Beauregard est informé devant un groupe de coupeurs de canne que celle-ci le trahit avec le géreur Gouyer. En mars 1941 Beauregard agresse sa femme, ce qui lui vaut une amende de 50 francs au Tribunal Correctionnel de Fort-de-France, mais celle-ci continue de recevoir Gouyer dans la maison familiale; n'en pouvant plus, Beauregard tire sur elle (mais non, paraît-il, sur son amant béké) et, pensant, à tort, qu'il l'a tuée, prend la clé des mornes où, déjouant les efforts des gendarmes à cheval et soutenu

---

9   Il manque toujours une étude sérieuse du phénomène Beauregard, le livre de Perronnette (1979) ne fournissant guère qu'un récit événementiel de son 'odyssée' à travers le sud de la Martinique. L'essentiel de ce qui suit se fonde sur Hospice (1984), travail lui-même fortement influencé par la conception glissantienne de l'histoire martiniquaise.

clandestinement par le petit peuple des mornes, il mène une vie de quasi-marron de juillet 1942 en septembre 1949 quand, acculé par la police à Anse Poirier près de Rivière-Pilote, il préfère se brûler la cervelle plutôt qu'être pris en captivité. De ce conte de Robin-des-Mornes ou de Butch Cassidy créole, Glissant préservera l'essentiel tout en y introduisant des incertitudes - 'Beausoleil' est-il économe ou géreur ? a-t-il oui ou non tué sa femme ? est-il tué par les gendarmes ou se donne-t-il la mort ? - et en y rajoutant un attentat sur la vie du rival béké qui ne semble pas avoir eu lieu en réalité. Mais, malgré les innovations introduites par Glissant, le 'Beautemps ou Beaufils ou Beausoleil ou Beau ce que tu voudras' (M 47) de *Malemort* - le Maho de *Mahagony*, on le verra, est un peu différent - reste un assez piètre personnage, 'un nègre bandit dont la femme n'avait été qu'un peu violenté par un petit béké' (M 46) qu'il 'n'avait pu que blesser [..] après quoi il s'était enfui (enfui) sur toute la terre des mornes' (M 53) et 'depuis sept ans ne faisait rien autre que fuir au-devant des gendarmes' (M 46). Nourri par le peuple et 'descendant aux frontières des plantations, aménageant ses caches, plongeant ses racines, partageant sa présence' (M 44), Beautemps-Beausoleil ressemble certes au Marron primordial, mais il y a néanmoins entre les deux toute la différence qu'il y a 'entre un qui *dès l'abord* refuse et un qui *à la fin* regimbe' (M 52) : 'ce n'était pas un Négateur, on l'obligeait à n'être qu'un délinquant un assassin et quand même on le criait marron ce n'était pas pour lui monter des statues aux coins des monuments aux morts c'était pour allumer la nuit de frayeur au coeur des enfants [..] : *si Beautemps t'attrape et t'emporte'* (M

54). De même, malgré leur étonnement 'qu'un homme seul eût pu tenir contre tant de forces mobilisées', ces hommes du peuple 'typiques' que sont Dlan Métellus Silacier 'dépistaient tous en lui le marron d'hier dont ils avaient gardé une crainte si affolante' (M 43). Non seulement 'la mémoire du Négateur [est] diminuée en Beautemps' (M 183), mais 'l'errance de ce bandit' (M 46) ne semble exciter aucune identification profonde chez ceux qui, entre tous, ont besoin d'un mythe mobilisateur. La première tentative de réactiver le Marron primordial en lui trouvant des avatars modernes échoue dans la médiocrité de Beautemps et dans la mémoire défaillante du peuple.

3. Du marronage à la dérive : *Mahagony*[10]

Le marronnage revient à la façon d'un leitmotiv dans *La Case du commandeur*, lequel repose, tout comme les romans antécédents, sur une opposition primaire entre les mornes et la plaine que les événements, surtout le va-et-vient des relations entre hommes et femmes, en vient à compliquer et à modifier mais jamais à transcender; dans la mesure où forêt et marronnage s'impliquent réciproquement chez Glissant, nous avons préféré discuter ce roman et ses divers marrons anciens et modernes dans le chapitre suivant. Nous en aurions pu faire de même avec *Mahagony*, car ici le lien entre arbre et marron est direct, constitutif et même généalogique. L'arbre emblématique qui donne non seulement au roman son titre mais à ses trois marrons exemplaires - Gani, Maho et Mani - leur nom de voisinage, est planté en 1815 le jour même de la naissance de Gani dont le placenta est enterré, suivant la coutume, entre ses racines. Il s'agit, de toute évidence, d'une tentative de recentrer, après ces romans de l'éparpillement que sont *Malemort* et *La Case du commandeur*, l'histoire martiniquaise autour d'une figure et d'une image uniques, de ré-enraciner le pays dans une origine perdue - si tant est qu'elle ait jamais existé - depuis la mort de Papa Longoué et, concrètement, de déterminer 'ce que Gani avait à distance déposé en ces hommes, comme lui déporté sur les traces des mornes : Maho le géreur en 1936 et Mani le fugitif en

---

[10] Nous employons dorénavant l'orthographe de Glissant lui-même : *Mahagony* pour le titre du roman et *mahagony* (et, plus rarement, *mahogany*) pour l'arbre lui-même.

1978' (My 25). C'est le vieux rêve glissantien de la continuité, abandonné depuis la fin du *Quatrième Siècle*, qui resurgit ici, quitte à se fracasser, tout comme les rêves antécédents, sur la réalité d'une discontinuité radicale dans l'espace et le temps.

Dès sa première enfance, Gani, l'Ur-marron du roman, 's'enfuyait à la ronde', sa vie consistant en un perpétuel et jubilant départ en dissidence : 'il n'avait fait que cela : s'en aller' (77), 'il n'avait fait que s'en aller' (84). 'L'enfant courait dans les bois' (78), mais sans intention réelle de rompre avec le monde habitationnaire qui, par l'intermédiaire des femmes, surtout de Tani qu'il 'violenta maintes fois' (69) à l'âge de treize ans et qui lui reste attachée, le soutient et le nourrit. En effet, son marronnage est ludique, carnavalesque, de spectacle plutôt que de substance : 'sa liberté semblait ainsi de carnaval' (78), comme si 'l'enfant voulait - avait voulu, comme négligemment - marronner pour le seul plaisir' (90) et 'consacrer son exemple aux yeux de tous en courant le chemin des nègres marrons, mais là tout près, dans l'espace qu'il s'était choisi' (84). Refusant sa condition d'esclave 'avec théâtre et mépris' (84), Gani est incapable pourtant, et même par définition, de couper ses rattaches avec l'habitation car ce n'est qu'en s'opposant à elle et en étant reconnu comme opposant par les autres esclaves qu'il atteint à un sens de sa propre identité : il n'existe que par rapport à la condition qu'il refuse, ce qui fait qu'il y revient toujours pour pouvoir la refuser encore. Pour leur part, les esclaves qui restent sur la plantation - pour ainsi dire les Béluse - s'identifient par procuration avec ce mini - ou plutôt avec ce pseudo-Longoué qui *joue* le marronnage à leur intention : 'Tout un chacun a connaissance de qui marronne', écrit dans son journal l'esclave Hégésippe (63), 'c'est le marron exulté parmi nous' (68). Il existe donc un jeu d'inter-dépendances complexe entre les esclaves et 'leur' marron : celui-ci n'existe que pour et par ceux-là qui, en s'identifiant en fantaisie avec celui qui marronne pour eux, s'accordent une liberté imaginaire qu'ils n'osent saisir en fait. Il en résulte que le périmètre dans lequel s'inscrit la trace de Gani 'atteignait à peine ce qu'on aurait calculé comme l'équivalent de six kilomètres' (81) : 'il ne s'était pas caché mais seulement déplacé dans la ronde qu'il avait choisie' (90). Ce qui fait, nécessairement, que 'son temps était éphémère et qu'il ne connaîtrait pas la quatrième direction' (84). 'Partout présent' (89), il est aussi partout visible car il ne peut exister qu'en étant *vu* comme marron : il sera appréhendé sans peine et abattu en 1831 entre les trois ébéniers où, quelques mois plus tard, Liberté Longoué (qu'il n'a pas connu) sera tué par Anne Béluse. 'Après, ce fut le calme : la banalité' (92), le carnavalesque s'abîme dans le quotidien, le désordre dans l'ordre, 'comme si depuis le premier jour ç'avait été notre lot sans rémission, un Béluse toujours désigné pour déraciner un Longoué entre trois ébéniers' (M 184) ....

Après 'l'enfant tari dans sa source' (My 32), ce sera le tour, plus de cent ans plus tard, de Maho le géreur de tenter de rompre avec le cercle infernal de l'Habitation. Mais 'la dérive de Maho' (22), pas plus que celle de Gani, ne l'éloigne pas vraiment du pourtour de l'habitation et du bourg dont les femmes continuent de lui fournir clandestinement de vivres, et 'il a mis son corps à tourner dans le périmètre du Trou-à-Roches [..] comme si la navigation du monde se concentrait là dans un terrain pas plus grand qu'un deux-sous de cuivre ...' (113). Tout en apprenant les 'infinies ressources des mornes et des fonds', 'il n'erra jamais loin du mahogani' où il 'trouvait dans la nuit les mangers des femmes, à l'abri des grosses racines, qu'il dévorait sans distinguer'. Se contentant de 'constituer un noyau autour du mahogani, et de rayonner en étoile dans toutes les directions' (148-9), il y reste rattaché comme par une corde-mahaut (qui est aussi, bien sûr, une corde-maho (111)), symbole, si l'on veut, d'un enracinement dans le sol profond de son pays mais aussi d'une dépendance ombilicale qui fait que jamais il n'assume une liberté libre. C'est ainsi que celui qu'on considère comme 'le dernier marron nègre du siècle' (110) ne fait en réalité que '[divaguer] comme une bête à l'abandon' sans projet autre que de survivre en marge : 'je cours en dérive comme un chien gris' (142-3), l'idée de dérive se substituant progressivement à celle d'un marronnage efficace. Mais c'est assez pour le transformer en être sacré à la fois admiré et redouté aux yeux de ceux qui restent dans la plaine, tels le jeune Mathieu et ses contemporains à l'école : 'nous étions obsédés du géreur et de ses sept années de résistance [..], nous ne manquions jamais d'en revenir à lui, soit dans nos discours ou nos écrits, soit dans nos rêves ou nos illusions'. Pour eux et ceux qui, comme eux, en reviennent d'année en année à la geste du géreur, ce qui en constitue 'l'exploit irrépétable', c'est le fait, tout simplement, 'd'avoir tenu sept ans, dans un espace clos si limité, contre toutes les forces de police (à dire le vrai, une bande débandée de gendarmes) mobilisées contre lui' (153-4). On voit un peu l'espèce de relation théâtrale qui, comme dans le cas de Gani, commence à s'esquisser entre le marron et son 'public'. Celui-là a besoin de celui-ci pour

94

survivre alors que le public se satisfait imaginairement en s'identifiant à son jeu, si bien que le marron devient à la fois l'alibi et le bouc émissaire de ceux qui, jamais, n'oseront rompre avec l'ordre de la plaine. Objet de rêve et de crainte, le marron - ou plutôt cette parodie de marron qu'est un géreur en dérive - permet aux sédentaires de la plaine de s'en accommoder tout en rêvant les mornes.

Tout comme Gani en 1831, Maho sera abattu, ou peut-être se donne-t-il la mort, en 1943 entre le mahogani et les trois ébéniers, et à son 'exploit irrépétable' feront écho, trente-cinq ans plus tard, 'les exploits du meurtier Mani' (22) racontés dans la troisième partie de *Mahagony*. Tout en renouvelant la dérive de Gani et de Maho, la dérive de Mani est 'parallèle de celle de Marny' (222), ce 'personnage [..] dont plus personne ici n'ignore le moindre des gestes' (249). En effet : Pierre-Just Marny, né en 1943 et toujours vivant, incarcéré, en France, a, le 2 septembre 1965, tué trois personnes (dont un bébé de deux ans) et blessé trois autres au cours d'un vol d'automobile. Après plusieurs jours de fuite, il est arrêté par la police mais parvient, le 10 octobre, à s'évader, après quoi, à coup de voitures volées, il se livre à une extraordinaire randonnée de plus d'une semaine à travers la Martinique, poursuivi par la police, jusqu'à ce que, le 19 octobre, il est dénoncé à la police par une épicière de Sainte-Thérèse. A la suite de son arrestation (au cours de laquelle la police a tiré sur Marny alors que celui-ci se serait rendu mains en l'air), la foule de Sainte-Thérèse se venge en dévastant la boutique de la dénonciatrice et, comme en 1959, saccage plusieurs magasins dans le quartier, ce qui déclenche l'inévitable répression policière au cours de laquelle un émeutier est tué : 'Sainte-Thérèse est-elle le Watts ?' demande *L'Information* du 28 octobre, profondément perturbé. L'important de l'affaire Marny, comme de celle, vingt ans auparavant, de Beauregard, c'est que le petit peuple martiniquais s'identifie spontanément encore une fois au sort d'un criminel marron (pourtant coupable de meurtres ignominieux) poursuivi par la police. Mais, à la différence de Beauregard, produit pur de la société d'habitation traditionnelle, Marny incarne, selon l'analyse magistrale qu'en donne Marlène Hospice (1984, 143-52), toutes les dislocations subies par la société martiniquaise depuis la départementalisation. Il n'est ni de la ville ni de la campagne, ni ouvrier ni paysan ni même djobeur, c'est un hybride, un marginal, un décentré dont le mouvement frénétique à travers l'île (alors que Beauregard était resté dans le pourtour de la plantation où il avait été économe) symbolise le décentrement de la nouvelle société martiniquaise sortie de l'effondrement, au cours des années 50, de l'habitation traditionnelle. 'Marny est devenu un symbole', reconnaît *L'Information* du 28 octobre. Si la population de Sainte-Thérèse s'est identifiée à son sort, c'est non seulement parce qu'elle reconnaît en lui, le bourreau devenu marron, une victime de la répression policière, mais, inconsciemment, parce que Marny symbolise son propre désarroi au milieu d'une société en pleine désagrégation.

Pour Hospice il est évident que 'Marny n'est déjà plus un nègre marron' dans la mesure où, selon elle, 'le nègre marron est tributaire de la structure de plantation' (1984 : 152) déjà pulvérisée au milieu des années 1960; il faut ajouter en plus, comme Vincent Placoly le fait dans sa biographie romancée de Marny, que celui-ci 'touche à peine au seuil du tragique [..], il n'a pas de pathos' (1983 : 1064). Ce qui n'empêche pas Glissant d'inscrire Mani dans ce qu'il appelle 'la trace tragique de Marny' dans 'un marronnage de pur défi, sans perspective de maintien ni de victoire' (222). Mani, c'est tout simplement le désordre (176, 177, 178, 185, 199), la 'débandade organisée (193), la dérive faite chair : 'il partait à driver, toute la journée, il rentrait au soir' (192). Mais, malgré le retour des mêmes motifs, surtout de la déposition de nourriture par les femmes, Mani ne fait que parodier Marny qui, lui, n'est qu'une parodie de Beauregard-Maho, lequel parodie Gani qui parodie l'ante-Longoué, et ainsi de suite dans une spirale mimétique sans fin. Plus que tout autre texte de Glissant, *Mahagony* trahit l'extrême pauvreté de la pensée marronniste. S'il est vrai que 'le marron Gani et le géreur Maho et le délinquant Mani, à des époques si éloignées, représentaient la même figure d'une même force dérivée de son allant normal' (22), cette force qui a perdu sa voie ne fait que tourner en rond sur elle-même sans jamais menacer le statu quo qu'elle parasite plutôt qu'elle ne s'y oppose. Dans ce roman dont 'la triple unité' (31) est hantée par le chiffre trois - trois marrons anciens et modernes, les 'trois acajous en triangle' (149), 'les trois tigres de l'espérance, de la souffrance, de la mort' (73) et les différentes triades que constituent, entre autres, 'la Trinité du manger' (Adoline, Adelaïde, Arthémise (132)), Mathieu, Thaël et le 'chroniqueur' (94, 239, etc) et Mani, Filaos Casse-Tête et l'Enfant des marins (173-4) - le marronnage est littéralement un phénomène *trivial* dans la mesure où ni Gani ni Maho ni Mani ne trouveront 'la quatrième direction' (43, 71, 74, 84) qui leur permettrait de sortir définitivement du 'bout de terrain [..] racorni' (142) que délimitent les trois ébéniers face au mahogani idéal. S'il est vrai, comme le soutient Mathieu, que 'tous les nègres sont marrons' (147), ce n'est nullement d'un 'marronnage créateur' (PR 85) qu'il s'agit dans *Mahagony*, mais d'un marronnage solitaire et stérile - 'vous êtes toujours seul dans les bois' (186) - une drive dans le vide que *Tout-Monde* va pourtant élever en principe constitutif d'un nouvel univers.

4. Vers la dérive universelle : *Tout-Monde*

Comment lire *Tout-Monde* en effet sauf comme le roman d'un marronnage démultiplié à l'énième degré et étendu jusqu'aux confins du globe, marronnage sans commencement ni fin à l'intérieur d'un espace où il n'y a plus d'Ici ni d'Ailleurs, ni Centre ni Périphérie, où les mornes ont été depuis longtemps investis par la plaine et où les Béluse, tout autant que les Longoué, sont voués à une dérive sempiternelle ? D'où, sans doute, cette impression que donne le roman d'un mouvement effréné de surface joint à une immobilité de fond, immobilité que relaie le recours, à presque chaque page et souvent plusieurs fois par page, à un lexique restreint de termes - maelström, tourbillon, dériver, dévirer, déporter, dévaler, chavirer, vertige, voltige, charivari, et ainsi de suite - dont la répétition, fascinante d'abord mais fastidieuse à la longue, trahit l'essoufflement d'une pensée qui ne fait plus que tourner en rond. Le paradoxe de *Tout-Monde*, c'est qu'en voulant opposer 'la pensée de la trace' à 'la pensée du système', il systématise la trace - laquelle, en principe, 'vous libère quand on vous tient par force sur le grand chemin pavé goudronné' - et, à force de la banaliser, la rend tout aussi 'morte et mortelle' que 'la pensée du système qui nous a tant régis' (TM 237-8). C'est ainsi que, généralisé et de ce fait déhistoricisé, le marronnage finit par disparaître, ou presque, dans sa forme 'classique' pour renaître sous celle d'un embrouillamini de traces et de drives qui s'enchevêtrent dans un 'tourbillon d'être' (150) qui peut être, indifféremment, celui d'un taxi-pays martiniquais (161), de la Gare Saint-Lazare (156) ou de 'Pariorli' (389) ou de la deuxième guerre mondiale (376-81). 'Le Tout-monde tourbillonne' (348) en petit et en grand dans 'une succession ininterrompue de tourbillons et de fixités' (153), et s'il y en a toujours pour précipiter le tourbillon en un point fixe, et y habiter' (387), ce sont bien les Martiniquais dont l'expérience historique de dispersion et de drive les a en quelque sorte prédestinés à ce 'bâbord-tribord infini' (309) qu'est le monde moderne et, encore plus, le monde post-moderne. 'On trouve partout un Martiniquais' tant ils 'éparpillent partout comme une poudre, sans insister nulle part' (385), marrons du monde comme leurs ancêtres l'auraient été des mornes et des fonds, preuve qu'à 'une certaine qualité de tourbillon' peut s'allier 'une certaine qualité de fixité' (388), le tourbillon étant, par ailleurs, 'l'habitation des déparleurs' (374). Ce qui fait que le génie et la grandeur de ces déparleurs que sont les Martiniquais aura été de tracer dans le tourbillon, de marronner dans le maelström, et, ô précairement, d'en faire leur habitation à eux.

L'exemple vivant, dans *Tout-Monde*, de cet art d'habiter le maelström, c'est Jorge Felipe de Rocamarron que, vers la fin du roman, Mathieu rencontre campé en squatter 'en bordure de la mangrove du Lamentin' (436), location qui, nous le verrons dans le chapitre suivant, est on ne peut guère moins fortuite .... Descendant lointain du mulâtre Georges de Rochebrune, lui-même fils du béké Laroche et d'une femme esclave, de Rocamarron fait partie d'un immense rhizome (439) qui investit tout l'espace caribéen et méso-américain : Martinique, Louisiane, Panama, Colombie, Venezuela, Brésil, de sorte que l'on ne s'étonnera guère si le vieux corps que trouve au hasard Mathieu 'ressemblait tellement à

Papa Longoué, sauf qu'il avait tout d'un Indien caraïbe' (436). De Rocamarron se met d'emblée à exposer à Mathieu l'inévitable philosophie de la Relation de Glissant - 'Il n'y a pas d'idée de l'isolé ni un isolé de l'idée' (473), 'Dans le grand Cercle, tout est mis dans tout' (471), et ainsi, sempiternellement, de suite - alors qu'à quelques dizaines de mètres au-dessus de leurs têtes passe l'autoroute du Lamentin, 'et alors la démence de cette conversation vous sautait à la tête' (471). Démence en effet, et qui témoigne à la fois de la ténacité de l'idée marronne chez Glissant et de sa conscience, qu'il ose à peine s'avouer à lui-même, de l'inéluctable dénégation qu'elle a connue entre la fuite de l'ante-Longoué en 1788 et le glorieux et absurde Jorge Felipe de Rocamarron échoué deux siècles plus tard entre une autoroute débordant de voitures et une mangrove qui se meurt.... Dénégation qui deviendra une *reductio ad absurdum* lorsque, quelques pages plus tard, Mathieu est attaqué en rentrant chez lui 'par deux vagabonds errants qui le blessèrent d'un coup de coutelas, pour lui prendre son argent, ou dévaliser la maison, mais qui s'enfuirent aussitôt, sans profiter en rien de leur avantage, comme s'ils étaient effrayés eux-mêmes de leur action' (507). Que les agresseurs (les assassins ?) de Mathieu soient 'des Haïtiens qui dévastaient par là', 'des gens de Sainte-Lucie qui faisaient trafic' ou bien des bandits du pays (509) importe en fin de compte assez peu, ce sont en tout cas des gens en rupture de ban, des driveurs, de sorte que celui qui est à peu près le dernier des Béluse est abattu par des rejetons dégénérés de la famille spirituelle des Longoué, et cela non pas entre les trois ébéniers si chargés de sens mais, tout banalement, dans la rue,

101

pour de l'argent que les assaillants n'arrivent même pas à prendre....

C'est donc d'une triple dégradation qu'il s'agit dans *Tout-Monde* : dégradation du marron en squatter et en détrousseur, dégradation du marronnage en drive désorientée et à potentiel violent, dégradation aussi, il faut le dire, de l'art du romancier qui n'arrive plus, ou à peine, à trouver des situations et des personnages propres à *incarner* sa pensée et qui, en l'absence de ceux-ci, en est réduit à disserter sans fin.... Mais toutes ces faiblesses de vision et de réalisation romanesques étaient déjà présentes, manifestes, dans *Mahagony* et, à l'état virtuel, dans *Malemort* et *La Case du commandeur*, enfin dans tous ces textes où Glissant a essayé de systématiser ce qui, à la Martinique, a cessé d'exister à partir des années 1740, à savoir un marronnage autre que sporadique et à titre individuel. Car s'il est vrai qu'à Saint-Domingue, comme Louise le dit à l'ante-Longoué, 'les marrons là-bas se réunissaient, ils avaient des chefs, ils étaient organisés' (QS 93), à la Martinique 'la limite du marronnage [..] est la limite de la terre : l'exiguïté du pays ne permettra pas le développement systématique de communautés' (DA 69). Aussi n'est-il guère surprenant si, Melchior à part, aucun Longoué n'arrive à vraiment fonder un *nous* (voir CC 15-16) et si les dérives de Gani, Maho et Mani, malgré l'écho certain qu'elles excitent chez les gens de la plaine, ne dépassent jamais le stade de révoltes personnelles. De même que Beauregard et Marny ont été transformés en rebelles mythiques par l'imagination martiniquaise (alors qu'en réalité ce n'étaient que des maladaptés en rupture de ban), de même Papa Longoué est une création fabriquée de toutes parts par la fantaisie de l'auteur. Non seulement 'Papa

Longoué est parti bien parti' (M 221), il n'a jamais existé sauf comme épiphénomène. A vouloir recentrer tout le vécu martiniquais sur la figure, tout au mieux hypothétique, d'un Marron primordial, Glissant l'a privé du seul centre qu'il ait, lequel, pour le meilleur ou le pire, se trouve sur la plaine dont la banalité certaine n'empêche que c'est là que s'est édifié l'essentiel de l'histoire de son pays. En refusant cette banalité et en s'obstinant à traiter en 'non-histoire' cet effort trois fois séculaire d'auto-élaboration pénible, Glissant pourra bien sa targuer d'avoir gardé une pureté de Longoué mais au prix, à notre avis, de rester suspect - tout comme les marrons - aux yeux de ces dizaines de milliers de Béluse que sont ses compatriotes.

CHAPITRE III

DE L'ARBRE A LA MANGROVE :
NÉGRITUDE, ANTILLANITÉ, CRÉOLITÉ

Manuel se trouvait au bas d'une sorte d'étroite coulée embarrassée de lianes qui tombaient des arbres par paquets déroulés. Un courant de fraîcheur circulait et c'était peut-être pourquoi les plantes volubiles et désordonnées poussaient si dru et serré. Il monta vers le figuier-maudit, il sentait ce souffle bienfaisant lui sécher la sueur, il marchait dans un grand silence, il entrait dans une pénombre verte et son dernier coup de machette lui révéla le morne refermé autour d'une large plate-forme et le figuier géant se dressait là d'un élan de torse puissant, ses branches chargées de mousse flottante couvraient l'espace d'une ombre, vulnérable et ses racines monstrueuses étendaient une main d'autorité sur la possession et le secret de ce coin de terre.

Manuel s'arrêta, il en croyait à peine ses yeux et une sorte de faiblesse le prit aux genoux. C'est qu'il apercevait des malangas, il touchait même une de leurs larges feuilles lisses et glacées, et les malangas, c'est une plante qui vient de compagnie avec l'eau.

Sa machette s'enfonça dans le sol, il fouillait avec rage et le trou n'était pas encore profond et élargi que dans la terre blanche comme craie, l'eau commença à monter.

Il recommença plus loin, il s'attaqua avec frénésie aux malangas, les sarclant par brassées, les arrachant des ongles par poignées, chaque fois il y avait un bouillonnement qui s'étalait en une petite flaque et devenait un oeil tout clair dès qu'elle reposait.

Manuel s'étendit sur le sol. Il l'étreignait à plein corps:

"Elle est là, la douce, la bonne, la coulante, la chantante, la fraîche, la bénédiction, la vie."

Il baisait la terre des lèvres et riait.

(Roumain 1988 : 106-7)

Peu de moments aussi bien connus, et aussi euphoriques, que ce *locus classicus* de la littérature antillaise où, Christ et Moïse à la fois, le héros de *Gouverneurs de la rosée* (1946) fait la découverte de la source qui va permettre aux siens de sortir de la sécheresse physique et morale qui les accable et qui, de la poussière d'hommes et de femmes qu'ils étaient devenus, va refaire une vivante et active communauté humaine. Moment sinon d'un commencement absolu, au moins d'un recommencement radical dans le temps, qu'il n'est guère besoin de commenter, tant est évidente l'intention symbolique de l'auteur. L'arbre se dresse précisément à la source, il est origine, il est pouvoir et autorité, il est centre autour duquel circule l'air et poussent d'autres plantes, il signifie d'une façon qui ne trompe jamais et si ses racines sont monstrueuses, c'est pour mieux embrasser et rassembler la terre en une ténébreuse et profonde unité.[1] Arbre cosmique, il relie le ciel à la terre, le soleil à l'eau, le passé au présent et l'homme à la femme, tout comme le poteau-mitan de la chapelle vaudou permet la communication entre le divin et l'humain:

> - Il a grand âge.
> - On ne voit pas sa tête.
> - Sa tête est dans le ciel.
> - Ses racines sont comme des pattes.
> - Elles tiennent l'eau.
> - Montre-moi l'eau, Manuel ! (117)

Pour Roumain et son épigone Alexis l'arbre est avant tout la promesse d'une désaliénation intégrale, d'un réenracinement de l'homme dans la communauté et dans l'univers, la preuve qu'au-delà de toutes les violences de l'Histoire l'homme sera chez lui dans le royaume de ce monde. Il se peut que pour le moment 'les arbres ne chantent plus, à peine s'ils fredonnent', mais rien ni personne ne pourra tout à fait en étouffer la voix : 'Les pins ivres fuguent toujours. Toute la forêt chante. Les arbres musiciens s'écroulent de temps en temps mais la voix de la forêt est toujours aussi puissante. La vie commence.' (Alexis 1957 : 390-2).

Toute une partie de la première littérature antillaise, celle, surtout, qui s'inspire de l'idéologie de la Négritude, se place donc sous le signe totémique de

---

[1] Comme nous allons le voir, l'image du figuier-maudit-qui, comme le banian, est un arbre à branches-racines dont il est impossible de décerner l'origine' - implique une conception du réel bien plus complexe que celle qu'elle sert à relayer chez Roumain.

l'arbre. Ainsi Aimé Césaire dans une interview de 1961 :

> Je suis un poète africain! Le déracinement de mon peuple, je le ressens profondément. On a remarqué dans mon oeuvre la constante de certains thèmes, en particulier les symboles végétaux. Je suis effectivement obsédé par la végétation, par la fleur, par la racine. Rien de tout cela n'est gratuit, tout est lié à ma situation d'homme exilé de son sol originel... L'arbre profondément enraciné dans le sol, c'est pour moi le symbole de l'homme lié à sa nature, la nostalgie d'un paradis perdu.
>
> (cité dans Ngal 1973 : 7)

Il est symptomatique qu'en soi-disant 'poète africain' Césaire se sert précisément d'arbres africains pour marquer les grands moments de réconciliation et d'unité dans son oeuvre:

> A force de regarder les arbres je suis
> devenu un arbre et mes longs pieds
> d'arbre ont creusé dans le sol de larges
> sacs à venin de hautes villes d'ossements
> à force de penser au Congo
> je suis devenu un Congo bruissant de
> forêts et de fleuves....
>
> (Césaire 1983 : 28)

> ma négritude n'est ni une tour ni une
>   cathédrale
> elle plonge dans la chair rouge du sol
> elle plonge dans la chair ardente du ciel

elle troue l'accablement opaque de sa droite
                                        patience

Eia pour le Kaïlcédrat royal ! (47)

Synthèse, on l'a maintes fois souligné, des mouvements ascendant et descendant qui structurent l'univers poétique césairien, l'arbre est aussi mouvement horizontal vers d'autres arbres, qu'il s'agisse d'états-arbre fraternels dans une Afrique indépendante:

> ... dans la plaine
> l'arbre blanc aux secourables mains ce sera
>   chaque arbre
> une tempête d'arbre parmi l'écume non pareille
>   et les sables

> 'Afrique', *Ferrements* (Césaire 1960 : 80)

ou bien de cultures arborescentes réunies dans une forêt universelle:

> Je suppose que le monde soit une forêt. Bon!
> Il y a des baobabs, du chêne vif, des sapins noirs, du noyer blanc;
> je veux qu'ils poussent tous, bien fermes et
>   drus,
> différents de bois, de port, de couleur,
> mais pareillement pleins de sève et
> sans que l'un empiète sur l'autre,
> différents à leur base
> mais oh!
> que leur tête se rejoigne oui très haut dans
>   l'éther

égale à ne former pour tous
qu'un seul toit

Et les chiens se taisaient (Césaire 1989 : 56)

Comme on le voit, dans la vision à la fois particulariste et universaliste de la Négritude, chaque arbre culturel est à la fois distinct des autres et leur égal, l'individualité radicale de chacun étant précisément la condition de leur unité transcendante. A chaque arbre une origine, une racine, un tronc : que leurs branches se mêlent en haut, tant mieux, mais qu'en bas chacun garde son essence. Aucun empiétement de l'un sur l'autre, aucun enchevêtrement de racines, aucune greffe ou transplantation d'un sol à l'autre et, surtout, aucun mélange ou métissage d'espèces. A ce prix est la vitalité de chaque culture du monde, et la possibilité de leur harmonisation au niveau de l'Universel.

Puisque chaque culture est forme et que l'être césairien recherche avant tout l'élancement de l'arbre, l'on comprend facilement pourquoi il n'y a pas de pire condition pour lui ou pour une culture que ce qu'un texte de *moi, laminaire...* dénomme 'la condition-mangrove':

La mangrove broie-tapie à part.
La mangrove respire. Méphitique. Vasard.

'La Condition-mangrove' (Césaire 1982 : 30)

Bien sûr, 'on peut très bien survivre mou/en prenant assise sur la vase commensale' d'où, il est vrai, 'l'allure est des forêts' (ibid.). Mais, de même qu'il

111

'n'est pas toujours bon de se vautrer dans la torpeur des mornes', de même 'il n'est pas toujours bon de barboter dans le premier marigot venu' ('Mangrove', Césaire 1982 : 25). Survivre n'est pas vivre, et bien que la mangrove soit la matrice de toute vie, l'on ne devient humain qu'à condition de sortir de sa nasse pour se faire pierre ou arbre à la façon de Frantz Fanon, ce 'guerrier-silex/vomi/par la gueule du serpent de la mangrove' ('Par tous mots guerrier-silex', 1982 : 21). Pourtant 'noire la mangrove reste un miroir' ('La Condition-mangrove') qui attire le poète par sa ressemblance avec la prolifération informe de sa vie intérieure et, 'déroulant son lasso jusque là lové autour de son nombril', l'englue 'par les soins obligeants de l'enlisement au fond du marais' où, un peu malgré lui, il se complaît:

A la fin l'occlusion en est douce et j'entonne
sous la sable
l'HYMNE AU SERPENT LOMBAIRE

'Marais nocturne', *Soleil cou coupé*
(Césaire 1961 : 43)

Bref, si la valorisation césairienne de l'arbre et de la pierre implique une dévalorisation symétrique de la mangrove, c'est parce que celle-ci attire et menace à la fois, une 'longue maturation de mangrove' ('Ibis-Anubis', Césaire 1982 : 67) pouvant être nécessaire et au poète et à l'homme à condition pourtant que, le temps venu, ils sachent '[refuser] le pacte de ce calendrier lagunaire' qui risque de les emprisonner à jamais dans la gadoue ('Epactes..', 1982 : 16).
    Dans la littérature postérieure qui s'inspire grosso modo du mouvement de la Négritude, l'arbre

s'antillanise, comme dans *Délice et le fromager* (1977) de Xavier Orville, mais n'en reste pas moins un symbole d'ensouchement et de ressourcement, ses branches s'étendant en protection au-dessus de l'humanité antillaise qui vit et meurt à son ombre. 'Les choses sont en place', les fibres de l'arbre 'ont fait corps avec la vie' comme ses racines sont 'soudées aux os des morts', et maintenant qu'il a 'franchi la barrière épineuse du néant' et 'fini par apprivoiser la terre', le fromager peut raconter son triomphe de sa propre voix:

Solaire et imputrescible, je me dresse. La lumière titubante du petit matin touche à cinquante mètres de haut mes premières branches. Le brouillard tout autour noie le reste; mais quand le soleil grimpant délaie l'invisible, moi, fromager, j'apparais enfin tout entier - voyez encore sur mes pieds la poussière séculaire des chemins. Je déploie mes bras d'univers et mon corps pour répandre les paysages que j'ai engrangés.

(Orville 1977 : 11-12)

Pourtant, dès la publication de *La Lézarde* (1958) d'Edouard Glissant, il se dessine une nouvelle thématique de l'arbre, plus complexe et surtout plus problématique, qui va aboutir, au fil des textes, à une déconstruction de la première image, heureuse et rassurante, de l'arbre et, symétriquement, à une revalorisation de la mangrove honnie et désirée. La pensée de la racine de la première littérature antillaise va céder le pas peu à peu à une nouvelle pensée du rhizome, de sorte qu'on pourrait parler d'une coupure

113

épistémologique entre les deux, n'était le fait que, comme on l'a vu, l'imagination arborescente d'un Aimé Césaire est souvent attirée, et non sans complaisance, vers 'les confins des mangroves amères' ('Epactes') alors que l'imagination de plus en plus rhizomatique d'un Edouard Glissant reste hantée par la nostalgie d'un arbre unique - fromager, banyan ou mahogani - qui unirait le paysage proliférant de son oeuvre. Malgré ces complicités secrètes, la différence est pourtant profonde entre la pensée-racine de la Négritude et des premiers textes de Glissant d'une part, et la pensée-rhizome de la Créolité et des textes les plus récents de Glissant de l'autre, comme on va le voir en suivant, au fur de leur publication, *La Lézarde*, *La Case du commandeur* (1981b), *Mahagany* (1987), *Poétique de la Relation* (1990) et *Tout-Monde* (1993), avant d'aborder, dans les chapitres qui suivent, la prolifération de l'imagination-mangrove dans les romans de Patrick Chamoiseau et de Raphaël Confiant.

1. *La Lézarde*

Rien, à première vue, qui ne soit plus proche de l'image traditionnelle de l'arbre que le paysage romanesque de *La Lézarde*. Comme pour indiquer que tout, ici, va se passer sous le signe emblématique de l'arbre, un flamboyant 'élève sa masse rouge' dès les premières lignes du roman, et 'c'est comme l'argile de l'espace, le lieu où les rêves épars dans l'air se sont enfin rencontrés' (L 11).[2] Figure, donc, d'une concentration bien réelle dans le temps et l'espace, le flamboyant précède et préside aux innombrables oppositions qui vont s'ouvrir dans le texte à mesure que Thaël, '[s'arrachant] de la splendeur de l'arbre', commence sa descente des mornes vers la plaine. Le flamboyant fait place à un manguier et le manguier à un prunier-moubin avant que ne se dresse devant lui à l'entrée de Lambrianne 'le terrible fromager' (30), 'le centenaire', un 'arbre immense' dont la 'pose hiératique, figée dans les noeuds et les épines de l'écorce' (14) rassure par sa force, sa durabilité et la protection qu'elle offre au promeneur qui passe. Les premières étapes de l'odyssée de Thaël seront donc balisées par trois arbres emblématiques, le flamboyant, le prunier-moubin et le fromager, autrement dit 'l'arbre de gloire, l'arbre des misères, l'arbre des contes' (72), et s'il faut qu'ensuite il voyage sans points de repère, toute son histoire, comme celle, d'ailleurs, de Mathieu, de Mycéa et des autres, aura été 'un effort absolu pour rejoindre le flamboyant, le fromager, la barre resplendissante' (216). Non

---

2   Pour les sigles utilisés, voir Chapitre II, note 2.

seulement le paysage de *La Lézarde* est jalonné d'arbres signalétiques, les personnages sont eux-mêmes des arbres, tel Thaël lui-même qui 'avait poussé tout seul comme un arbre de la montagne' (185), alors que Gilles, cet être de la plaine, est 'un arbre misérable mais tenace qu'un vent peu à peu bouleverse' (140); pour sa part, le sinistre Garin est 'planté dans la source : un arbre qui tente d'usurper toute la fécondité de la Lézarde' (96). Les relations qu'entretiennent les amis les uns avec les autres ressemblent à celles qui relient les cocotiers au bord de la mer dont 'on connaît la force terrible de leurs racines, quand on a su leur fraternité sèche' (43). Aussi Valérie est-elle pour Mathieu 'comme une clairière dans ma forêt. Ses arbres clairs parmi mes arbres noirs !...' (40), alors que ce qui, plus tard, le reliera à Mycéa, c'est 'bien plus encore que l'assurance de deux arbres qui auraient joint leurs racines sous la surface et ainsi s'embrasseraient dans la terre, oho ! c'est le charroi de toute la sève, c'est le cri même de la racine, ho ! c'est le geste venu du fond des âges, qu'ont parfait les ancêtres et que voici renaître froide et tendre dans la motte d'ici'; il n'est sans doute pas fortuit que cette rencontre importante entre toutes ait lieu sous 'un mahogani, épais et dur' (148-9). Toute la problématique explicite du roman s'énonce par ailleurs en images de racine : de Valérie il est dit qu'elle 'n'a pas de racines' (40), alors que Thaël est convaincu qu'il 'faut prendre racine. Alors on peut partir.' (64) Et ainsi de suite : 'nous trouverons la racine, mais il faut être partout' (67), 'la racine sera plantée en nous' (110), rien ici que ne désavouerait une imagination 'négritudiniste' traditionnelle, tout comme l'apparent triomphe des protagonistes qui, vers la fin de leur périple, 'avaient atteint l'arbre des

splendeurs, connu la mer magnifique et sans fin'
(216)....
Pourtant, à la regarder de plus près, cette
racine tant invoquée s'avère être rien moins que
simple et une. C'est plutôt 'une racine acharnée qui,
dans sa *prolifération* même, se barre et *multiple* doit se
vaincre avant de pousser franc, à travers roches et
sables, vers la terre *meuble* qui l'appelle' (136, c'est
moi qui souligne). Ou encore c'est comme l'écume de
la barre où Garin trouve la mort, 'une racine *étalée*,
mais une racine dont la voix *trouait* l'espace jusqu'à
elle [Valérie]' (205). De même si le cri est racine, il est
d'abord 'noué, obscur' avant qu'il ne 's'éclaire et sème',
et s'il féconde, il ligote aussi, tout comme le passé
personnel et historique de chaque personnage, le
narrateur y compris : 'il y a en moi cette racine que je
tente d'arracher, mais son attache est plus puissante,
et mes forces me trahissent' (204). Surtout, c'est
'entre les racines' du grand flamboyant que dorment,
'sur les feuilles tombées', les chiens qui vont tuer
Valérie, elle qui possédait 'toutes les grandeurs de la
montagne et toutes les forces de la plaine' (182) et qui
était seule capable, peut-être, de synthétiser les deux
pôles du roman. Donc si le flamboyant est 'le toit par
excellence', il abrite sous ses branches un héritage on
ne peut plus ambigu. Vivant et rassurant d'un côté,
terrible et violent de l'autre, il réunit 'la terre noire' à
son pied à 'la vie d'en haut' et nourrit 'l'éclat de sa
moisson de fleurs' d'énergies puisées dans un passé
monstrueux. Suprême ironie, c'est sous l'arbre même
que Valérie choisit 'comme repère', 'comme une force
distincte des forces de la nuit', que se sont tapies les
'forces si longtemps contenues' (247-9) qui vont la
détruire. Au lieu de la protéger, 'la forêt marronne'

117

(207) la trahit : on n'apprivoise pas aussi facilement les chiens de l'histoire antillaise.

Dans *La Lézarde*, on le voit, le monde que jalonnent les trois arbres du début est progressivement miné par les 'forces de la nuit' que représente, dans son ambiguïté même, 'la forêt famélique et somptueuse' (187) qui les enserre. Chez Glissant il ne faut pas, pas plus qu'ailleurs, confondre arbre et forêt, car si celui-là se dresse d'une façon en somme rassurante dans son oeuvre, celle-ci, au contraire, par sa prolifération même ne peut pas ne pas receler quelque menace secrète. D'un côté, donc, c'est 'ce bien-être de la forêt' qui assouvit celui ou celle qui se livre au 'festin sans limites à l'intérieur chaleureux du bois' (88); par contre, comment ne pas être inquiété par 'le bouillonnement de la forêt, l'inextricable fouillis de sève, de nuit, d'éclairs, qui sur la montagne se perpétue' ? (90). De même les fours à charbon sont 'les personnages secrets de la forêt' (88), mais ce sera dans un four analogue que, dans *La Case du commandeur*, le nègre marron Aa sera brûlé vivant (CC 165-7). Il y a parmi 'les héros innombrables de la forêt (103) des conteurs, des sorciers et des guérisseurs comme Papa Longoué, mais il y a aussi des chiens qui 'depuis si longtemps [..] ont couru les bois pour nous rattraper' (CC 91). Si donc Papa Longoué 'voyait qu'on ne pensait plus assez à la grande forêt' (L 187), c'est peut-être parce que l'on ne sait que trop bien les terreurs qu'elle cache en son sein, de sorte que 'l'appel chaque jour vers là-bas' est indissolublement un appel vers la vie et la mort, comme va le trouver Valérie, elle qui 'avait la forêt au fond de son coeur' (188)... Avant que de 'remonter à la forêt', comme Papa Longoué l'enjoint, il faut reconnaître que c'est remonter jusqu'au coeur

118

même d'une complexité à laquelle la pensée de la racine unique ne sera jamais adéquate : 'L'héritage est complexe. Il y a des voix qui se mêlent et se contrarient. Qui les séparera enfin ?' (203) 'Mets que les Antilles c'est tout compliqué', dit au narrateur Mathieu (226), mais comment la dire, cette complexité, sans avoir recours à des images elles-mêmes plus complexes que l'arbre qui, s'il est multiple à son faîte, est toujours un à sa base. Dès la conclusion de *La Lézarde* la problématique de la racine est implicitement dépassée, mais il faudra attendre *La Case du commandeur* (1981), publié plus de vingt ans plus tard, pour que Glissant enregistre pleinement ce dépassement dans son oeuvre.

2. *La Case du commandeur*

Dans *La Case du commandeur* Glissant renonce au récit essentiellement linéaire de l'histoire martiniquaise qu'il avait construit dans *Le Quatrième Siècle* et puis déconstruit dans *Malemort*, pour descendre à reculons dans un 'trou du passé' (CC 126) qui s'avère bientôt être 'un trou sans fond' (143) dont 'nous nous écartons en sautant [..] tellement nous avons peur de ce trou du temps passé. Tellement nous frissonnons de nous y voir.' (152) 'Nous devons aujourd'hui regarder ce trou du temps sans vertige' (125), mais comment le faire quand on ne sait pas, 'combien vite les têtes deviennent ici oublieuses, comme il y est difficile de rameuter le temps passé, son cortège irréel, sa souffrance qu'on ne veut pas croire' (165), comment ce trou a pu s'ouvrir dans le temps, quand chaque tentative de lui assigner une origine se révèle trompeuse, tout comme lorsque Liberté Longoué essaie d'expliquer à Anatolie Celat 'le début et l'enchaînement' de son histoire fragmentaire, 'le début tombait dans un trou sans fond, où plus personne n'était visible' (123). Liberté montre à Anatolie 'un de ces vieux cachots à demi enterrés qui avaient servi à mater les récalcitrants' (124), et c'est là que leur fils Augustus Celat sera conçu 'dans plus qu'un bois, dans un trou du passé' (128). Sorti de ce 'trou brûlant' (129), Augustus recevra plus tard la nouvelle de son origine 'dans le trou de sa tête' (128), tout comme son petit-fils Pythagore Celat et son épouse Cinna Chimène porteront 'le même trou dans la tête' (44) et que leur fille à eux Marie Celat/Mycéa, 'véhémentement atteinte de *cela*' (226), éprouvera 'ce trou au-delà duquel nul n'étendait sa pensée' (191) et dans lequel elle finira par sombrer. Il y a d'autres trous dans le texte : celui du 'four à charbon éventré' (162) où le nègre marron Aa sera brûlé vivant, le trou de sa bouche où un de ses bourreaux fourrera un tison ardent (167), le 'mantou [déboulant] d'un trou dans la mangle du Lamentin' (29) et jusqu'au trou des fourmis avec lesquelles jouent Ceci Celat (145). Bref, 'c'est à partir de ce trou débondé que déferla sur nous la foule des mémoires et des oublis tressés, sous quoi nous peinons à recomposer nous ne savons quelle histoire débitée en morceaux. Nos histoires sautent dans le temps, nos paysages différents s'enchevêtrent, nos mots se mêlent et se battent, nos têtes sont vides ou trop pleines.' (126) C'est ce trop-vide qui est aussi un trop-plein que *La Case du commandeur* essaie de 'recomposer' ou de 'concentrer' en partant du 'trou d'ici' (171) - la Martinique de nos jours - pour effectuer pour ainsi dire *a tergo* une 'remontée dans *cela* qui s'était perdu' (188). C'est un *Quatrième Siècle* à l'envers, et ce n'est guère surprenant s'il aboutit - dans la mesure où un livre en spirale peut jamais aboutir - à des conclusions (des conclusions ?) bien autrement pessimistes que le chef-d'oeuvre du premier Glissant.

Le *Quatrième Siècle* avait déjà posé, avec l'espoir et la confiance de pouvoir y répondre, ce que *La Case du commandeur* appelle 'le problème des origines' (60). Mais dans un passé tout criblé de trous, même 'le cataclysme primordial' (30) se dérobe sans cesse à qui veut le cerner. Tout l'effort du *Quatrième Siècle* d'ancrer l'histoire dans un ancêtre ou fondateur quelconque est de ce fait voué à l'échec, car derrière celui qu'on pensait être le premier Négateur sorti en 1788 du ventre de la *Rose-Marie* se profile 'un autre Négateur, tellement semblable et différent qu'on

121

ne pouvait pas même dire qu'il avait été le premier' (125). C'est le nègre marron Aa, nom qu'il avait choisi 'pensant que c'était le premier mot de la langue des Blancs' (139), mais que ses bourreaux appellent par dérision Bb comme si, loin d'être le premier, l'Ur-marron qu'il se croit, il n'était que le bébé de quelque devancier qui s'appelle peut-être Odono dont le nom aux voyelles en creux résonne à la façon d'une absence à travers tout le roman : *Odono Odono* (voir 17, 19, 218 etc), avant de se scinder lui-même en deux Odono, dont l'un a déjà trahi l'autre dans 'le pays d'avant'. Il en est de même avec les autres personnages. Ozonzo, ce 'coui sans fond' (53), est incapable 'd'éclairer les origines de Cinna Chimène' (63) qu'il a trouvée une nuit dans 'le ventre inviolé de la forêt' (72), mais il ignore déjà les siennes propres et celles de son épouse Ephraïse Anathème : quant à sa grand-mère maternelle, sortie un beau jour des mornes, 'inutile de chercher l'origine de cette femme sans nom' (90). Si tout est trou et absence d'origine, l'idée même d'enracinement est rigoureusement impensable. On a beau dire à Odono (lequel ? le trahissant ou le trahi ?) que 'ta racine est pour pousser de l'autre côté des eaux salées' (91), le fait reste que 'ce pays d'avant nous démarra de nos corps, que nous n'avons pas ensouchés dans le pays-ci' (32). De même dire aux Caraïbes 'je veux me planter dans la terre d'ici' (139) n'empêche pas qu'Aa ne meure, lui aussi, dans un trou du passé.

L'on ne sera donc pas surpris que, dans *La Case du commandeur*, il y ait très peu d'arbres *individuels* et *détachés* comme le flamboyant et le fromager qui encadrent *La Lézarde*. Dans ce roman anti-téléologique par excellence, 'vous êtes né dans l'impénétrable originelle où l'arbre est mélangé à l'arbre sans pouvoir de séparation' (191) et vous tentez de 'déraciner pour ouvrir une habituée [une clairière] dans l'indistinct originel des bois' (192). Maintenant ce n'est plus l'arbre qui balise le parcours de l'île comme celui du texte, mais bien la forêt qui emporte récit, personnages, texte et lecteur ou lectrices en des 'vertiges sans fond' (227) d'où ils ne sortiront pas. Le texte même devient forêt, un 'lacis de feuilles et de souches', avec un 'criquettement infini des milliers de voix qui là dehors s'entrelaçaient' (230). Ou bien c'est un 'silence d'abîme où les acajous multipliaient leurs soupentes', 'une population de feuilles, de mousses, de boues' avec, en dessous, 'l'éponge gluante des débris', où le corps de Cinna Chimène qui s'y aventure est 'peu à peu devenu indivisible d'entrelacs de verdure où elle baignait' (73-4) : 'voici déjà la nuit sans fond des bois-fer et des mahoganys, sur quoi éclate l'élan immortel des acomats' (138). Les acomats - mais ils sont désindividualisés déjà - se détachent sur le chaos de la forêt comme un dernier vestige d'une pensée-racine qui se perd, tout comme les différentes tentatives de 'recomposer' (53, 81, 119, 126) ou de 'concentrer' (42, 43, 51, 123) un réel en 'dérive' (15, 23, 37, 49, 60, 125) sont incapables de remédier à son 'éparpillement' inéluctable (28, 43, 44, 53, 100, 123, etc). Autrement, c'est bien d'un 'désordre tout en charivari' (230) qu'il s'agit, d'une 'nasse de bois dont on ne sait si elle monte si elle descend ou si elle s'enroule dans le corps et profite de ta distraction pour t'enfermer dans sa masse' (231). Forêt, histoire et texte forment 'un trou de cyclone' (158) où à chaque moment l'on 'chavire' (23, 29, 41, 73, 132, 141) dans une aventure qui n'a pas plus eu de commencement qu'elle n'aura de fin. Et déjà, à côté de la forêt, une autre réalité commence à imposer sa présence : les 'épais relents de la mangle' (37), les 'grands palétuviers' (90), le 'delta encombré de mangroves' de la Lézarde 'où les mantous prospéraient de si belle façon pour les mangers du lundi de la Pentecôte' (189), réplique littorale de la mangle du Lamentin où un mantou 'déboule' d'un trou pour disparaître dans un autre, 'te laissant *chaviré* de ce sillage dont il semblait qu'il n'avait eu d'autre rôle que de te persuader de ta lenteur irréparable' (29-30). L'histoire antillaise, c'est '*cela* qui s'est *noué*' (227), 'le cyclone du temps *noué* là dans son fond' (138) : elle ne peut pas avoir de meilleure image que 'les *noeuds* de palétuviers où l'odeur *chavire*' (tous soulignements de moi). Mais avant que la mangrove ne l'emporte définitivement sur l'arbre dans *Poétique de la Relation* et *Tout-Monde*, il faut passer par *Mahagony* qui représente, entre autres choses, une dernière tentative de défendre la vieille pensée-racine contre la nouvelle pensée-rhizome qui, s'avançant toujours, déjà menace de l'étouffer dans son fouillis sans commencement ni fin.

3. *Mahogany*

Par rapport à *La Case du commandeur*, *Mahagony* (1987) marque en effet une pause, et même une régression, dans le parcours romanesque de Glissant. Il y a, d'un côté, une exaltation renouvelée de l'arbre *individuel*, que l'on recherchera en vain dans le roman antécédent, et, de l'autre, s'inscrivant en faux contre cette exaltation, une conscience aiguë de tout ce qui - 'l'embrouillé' ou 'l'embrouillamini' du réel (My 28, 34, 205), son 'enchevêtrement' (99) et 'fouillis' (100) inextricables - va s'opposer à la volonté de 'recomposition' et de 'concentration' que ressent le narrateur (qui est maintenant Mathieu Béluse lui-même) désireux de trouver sa propre voix/voie et de 'survoler ces embrouillaminis donnés dans les hachures de ce qu'ailleurs on nomme un roman' (32). *Mahagony* est donc un roman pour sortir du roman. Il est né pour ainsi dire de la tension entre l'arbre et la forêt déjà signalée dans *La Case du commandeur*, tension qui, ici, se résout 'officiellement' au profit de l'arbre et donc au profit du narrateur qui, dans les dernières phrases du texte, a bien trouvé sa voix et sa voie : 'Véritablement je m'appelle Mathieu Béluse. Selon la loi du conte, qui est dans l'ordre des arbres secrets, je vivrai encore longtemps.' (252) Mais, comme nous le verrons, le triomphe 'officiel' du moi-narrateur est miné de toutes parts par l'embrouillamini de son texte, lequel, à son tour, ne fait qu'exprimer, sans l'expliquer, l'embrouillamini du réel, de sorte qu'à la 'concentration' rêvée, proclamée mais non pas en fait réalisée dans *Mahagony* va succéder, dans *Tout-Monde*, un nouvel 'éparpillement' plus tourbillonnant encore.

D'une part, donc, le mahogani, tout comme le flamboyant et le fromager de *La Lézarde*, sert de point de repère non seulement aux paysages, aux histoires et aux personnages du roman auquel il donne en outre son nom, mais bien à son narrateur et à ses lecteurs et lectrices. Le mahogani, nous apprenons dès le début du texte, est 'au principe de cette histoire' (14), tout comme la fin du texte nous informe qu'il se trouve... à sa fin : 'Qu'on parte ou qu'on reste, on revient au mahogani. Les lieux-communs sont là ensouchés. Ils ne voyagent pas, ils attendent.' (244) Autre lieu commun, le mahogani est en quelque sorte père, avec 'l'ample d'un vénérable, la bonté convenue d'un patriarche' (248), il 'vous [regarde] sans vous voir ni vous parler' (77) comme un dieu lointain, et, à la fin du roman, 'le mahogani seul a perduré dans son personnage changeant' (230). Le texte 'dérive', certes, tout comme Gani, Maho (Beautemps) et Mani 'dérivent' (143, 153, 192, 222 etc), mais de même que Beautemps 'n'erre jamais loin du mahogani' qui lui est comme un 'noyau' à partir duquel il peut 'rayonner en étoile dans toutes les directions' (147-8), de même le texte se recentre toujours sur l'arbre totémique qui lui a donné son titre. Bref, tout se passe sous 'la présence - la puissance - du mahogani' (95) : il s'en faut de peu qu'on ne soit revenu à l'univers arboricentrique de *Gouverneurs de la rosée* et de *Cahier d'un retour au pays natal*...

De peu.... Mais ce peu est déjà beaucoup, et, comme toujours chez Glissant, la possibilité d'une synthèse n'est pas plus tôt indiquée qu'elle n'est minée non pas du dehors mais de l'intérieur des données même de son texte. A première vue, le mahogani, tout comme ses devanciers le flamboyant et le fromager, semble être uni et unique, avec sa 'masse carrée qui s'élève d'un seul poids' (223), sa 'simplicité sans leurres mais rétive' (34), sa 'solitude ovale et enflammée' (95), solitude qu'il partage d'ailleurs avec le célèbre fromager de 'Lambrianne' (34). Mais, en réalité, tout est beaucoup plus hétérogène, car en premier lieu 'les abords du tronc sont impénétrables, les hautes racines tordues sont envahies d'une brousse qui interdit d'avancer' (223). Et puis, bien que le mahogani ne pousse pas, à la façon du fromager, 'ses racines hors de terre avec une puissance en spirale et comme une rondeur qui donne vertige' (14), il n'en plonge pas moins, sans pivot, dans 'l'obscur indéracinable du temps' (13), tout comme l'histoire sans fond du pays qu'il incarne. Mais, outre sa propre complexité de structure, le mahogani est menacé de toutes parts par la forêt qui avance, et singulièrement par trois ébéniers qui risquent de l'étouffer dans le triangle qu'ils forment et qui sont en quelque sorte son antithèse vivante : l'on se souviendra que c'était entre 'trois ébéniers disposés en triangle' (QS 144) qu'en 1831 Anne Béluse avait tué le premier Liberté Longoué.... 'Multipliant le liane indémêlable des mangé-couli, drossant les orties de trois pas sur les jeunes pousses qui s'accrochaient au moindre rai de jour, tressant des fougères géantes aux parasites miraculeux scellés à leurs flancs' (My 20-1), les ébéniers 'avaient éclaboussé leurs branchages et leurs racines partout alentour en forêt inachevée mais inviolée, marquée de fulgurances rousses et violettes qui s'avivaient dans les éclairs de pluie' (17). Avec cette 'jungle enfantée par les ébéniers', nous replongeons dans la végétation proliférante de *La Case du commandeur* à laquelle *Mahagony* voulait réimposer un ordre. Au-dessous de 'cette totalité

127

obscure et flamboyante' (28) que semblaient former les arbres, nous devinons l'existence d'un chaos végétal équivalent du 'chaos du temps' (20), d'un maelström de flore et de faune correspondant au 'maelström de notre temps passé' (21), enfin d'un tohu-bohu botanique en tous points semblable au 'tohu-bohu du temps que nous vivons' (214). Saisi de cet 'effarant charivari', 'je [le narrateur] me raccrochais à l'arbre unique [le mahogani], pour me sauver par une si belle évidence', mais ce n'est que pour 'me rabouter à mon premier tourment et chaos, comme si moi aussi je tournais dans l'espace entre les ébéniers' (16). Grâce au mahogani, Mathieu survivra et tirera son ordre du chaos, mais Beautemps-Maho mourra dans les bois en 'géant sauvage', tué - ou peut-être se suicide-t-il - par des gendarmes 'embusqués dans les trois acajous' (131), avec Odibert, un géreur comme lui mais un traître, tapi sous le mahogani comme les chiens de Thaël sont tapis sous le flamboyant.... Au moment de la mort de Maho, 'les dernières tourterelles, empêchées dans le bois où il s'était réfugié, explosèrent en un *éparpillement* fou' (160), et lorsque son cadavre est 'jeté dans une caisse au fond d'un *trou*', sa compagne Artémise 'a poussé son cri, elle a commencé à parler au géreur sans arrêter. La terre était *chavirée* dans son cri' (131, c'est moi qui souligne). C'est ainsi que 'le dernier nègre marron du siècle' (110) rejoindra dans la mort un des premiers du siècle d'avant : Maho-Gani, et dans un site qui rappelle en tous points le site de la mort de Liberté Longoué, fils du 'premier' marron qui ne l'était pas en réalité.... Deux ans seulement après la mort de Maho, celle de Papa Longoué 'se répand sous toutes les racines, dans toutes les ravines, jusqu'au plus retiré des acajous, jusqu'au plus secret des mahoganis'

(160). Il n'y a donc que Mathieu qui sort du 'maelström (15, 22, 25, 26, 45) qui entraîne Gani, Maho, Mani, Patrice, Odono et Mycéa, et quant à ces 'moi disjoints qui nous acharnions vers ce nous' (CC 42), 'nous sommes tout autant *éparpillés*, sans nous *concentrer* jamais dans nos têtes, ni la nuit sur nos couches ni la journée dans nos cris' (My 177).

Mais il y a deux autres 'éléments', l'un naturel l'autre artificiel, mais tous deux désindividualisés et désindividualisants au maximum, qui commencent à envahir l'espace martiniquais. D'une part il y a les *herbages*, tantôt masculins tantôt féminins,[3] qui, à la fois sont 'têtues pour vivre' (185) et pourtant 'n'arrêtent pas de mourir' (173); bien que certaines herbes aient un caractère et une fonction propres (voir 172), c'est plutôt une herbe 'indifférenciée' (232) qui pousse un peu partout à la fin de *Mahagony*, et qui est associée non seulement à la mort de Patrice (que Marie Celat retrouve 'étendu dans l'herbe sur le côté de l'autoroute') mais aussi à celle d'Odono que l'on retire de la mer 'avec cette herbe dans ses cheveux défunts, l'herbe du fond marin qui l'a endormi pour toujours' (173). 'Ennemies des grands plants' (184), ces herbes ou herbages s'acharnent à lutter contre le ciment et le béton des bords de ville et surtout contre le goudron des autoroutes (171, 185, 189) qui ont pris la relève de la 'plate et infinie distance de goudron' de la route coloniale évoquée dans *La Lézarde* : 'la route est assurément sans mystères, elle conduit droit comme la fatalité vers le grand carrefour de l'usine' (L

---

[3]   C'est une herbage à la page 141, un herbage à la page 176, et les deux à la fois à la page 184.

71).[4] Dans *La Case du commandeur*, les 'routes goudronnées' et les 'maisons cimentées' (CC 214) s'ajoutent aux 'grandes surfaces [..] fourmillantes sur leurs terre-plein de goudron' (187) pour menacer tout l'équilibre écologique de la Martinique maintenant 'défunte d'oiseaux, criblée d'une mitraille de goudron' (15). Nous suivrons l'avancée apparemment inexorable du ciment, du béton et du goudron dans *Toutmonde*, mais d'abord il faut faire un détour, voire une dérive ou un dévirage, par *Poétique de la Relation* où Glissant impose une grille conceptuelle sur son imagination de l'arbre martiniquais qui, si elle en éclaircit le sens, lui ôte, par cela même, une partie de sa vitalité.

---

[4] Notons aussi que le fromager à l'entrée de 'Lambrianne' est évoqué comme 'surplombant le goudron' (L 14).

4. *Poétique de la Relation*

Dans un discours intitulé 'Les Ecarts déterminants' qu'il a présenté en août 1989 à une réunion de l'ASSAUPAMAR (Association pour la sauvegarde du patrimoine martiniquais), Glissant distingue entre deux façons de penser et d'exprimer l'identité qu'il dénomme respectivement 'l'identité-racine' et 'l'identité-relation'. Pas identité-racine, Glissant entend toute conception univoque de l'identité, toute recherche identitaire qui voudrait repérer une seule origine, une seule racine, pour un groupe ou un individu donnés. L'identité-racine peut être fort complexe, comme l'arbre qui en est l'image et l'expression par excellence, mais reste en fin de compte une identité unitaire, exclusive, une mono-identité : ce n'est pas pour rien que Glissant va jusqu'à parler d'une 'intolérance de la racine' (PR 160), d'une 'violence cachée de la filiation' (158) qui serait inséparable de toute réflexion identitaire qui se fonderait sur le 'mystère sacré de la racine' (155). L'identité-relation désigne, par contre, une conception ouverte, pluri-dimensionnelle ou si l'on veut polysémique de l'identité. Récusant toute idée d'une origine ou d'une racine uniques, cette conception fait de l'identité comme un archipel ou une constellation de signifiés dont aucun ne primerait les autres et dont l'unité résiderait non dans le fait de posséder une source unique mais dans les forces gravitationnelles qui les relient tout en les séparant. 'L'ancienne pensée de l'identité comme racine' (156) prône l'idée et la réalité d'un ensouchement dans un territoire unique qu'elle limite, de ce fait, à une seule ethnie, culture et langue - 'la racine est monolingue', dit ailleurs

131

Glissant (27) - alors que l'identité-relation implique 'non pas l'absolu sacralisé d'une possession ontologique' mais bien 'la solidarité relationnelle de toutes les terres, de toute la terre'. Elle s'applique par excellence à cette 'terre rhizomée' qu'est la Martinique dans la mesure où celle-ci 'n'appartient, en absolu raciné, ni aux descendants des Africains déportés, ni aux békés, ni aux hindous ni aux mulâtres' (160-1) mais à la communauté relationnelle qu'ils 'comprennent' (158). C'est pourquoi, pour Glissant, la 'pensée du rhizome' est *toujours* préférable à sa rivale, la pensée de la racine, car si 'la racine est unique, c'est une souche qui prend tout sur elle et tue alentour', alors que 'le rhizome est une racine démultipliée, étendue en réseaux dans la terre ou dans l'air, sans qu'aucune souche y intervienne en prédateur irrémédiable. La notion de rhizome maintiendrait donc le fait de l'enracinement, mais récuse l'idée d'une racine totalitaire. La pensée du rhizome serait au principe de ce que j'appelle une poétique de la Relation, selon laquelle toute identité s'entend dans un rapport à l'Autre.' (23)

Comme Glissant l'indique lui-même (PR 23), cette opposition de l'identité-racine et de l'identité-relation reprend l'opposition faite par Deleuze et Guattari dans *Mille plateaux* (1980) entre la pensée de la racine et la pensée du rhizome. Selon Deleuze et Guattari, toute conception du monde qui se fonde sur l'image de la racine ou de l'arbre 'ne cesse de développer la loi de l'Un qui devient deux, puis deux qui deviennent quatre... La logique binaire est la réalité spirituelle de l'arbre-racine' (1980 : 11). Même si des radicelles ou des racines fasciculées en viennent à se greffer sur la racine centrale, l'unicité et la primauté de celle-ci n'en sont en rien diminuées.

Par contre, disent Deleuze et Guattari, un rhizome - c'est-à-dire un bulbe ou un tubercule - 'se distingue absolument des racines et radicelles', et cela d'abord parce que 'n'importe quel point d'un rhizome peut être connecté avec n'importe quel autre, et doit l'être' (13). A l'encontre de la pseudo-multiplicité de l'arbre, le rhizome est la multiplicité même; d'ailleurs, 'il n'y a pas de points ou de positions dans un rhizome, comme on en trouve dans une structure, un arbre, une racine. Il n'y a que des lignes.' (15) En tant que récusation du principe d'une origine seule, le rhizome, selon la formule saisissante de *Mille plateaux*, 'est une antigénéalogie' (18). 'Un rhizome n'est justiciable d'aucun modèle structural ou génératif. Il est étranger à toute idée d'axe génétique, comme de structure profonde' (19), d'où il suit qu'un 'des caractères les plus importants du rhizome' est 'd'être toujours à entrées multiples' (20). 'Il n'est pas fait d'unités, mais de dimensions, ou plutôt de directions mouvantes. Il n'a pas de commencement ni de fin, mais toujours un milieu, par lequel il pousse et déborde' (31). 'Contre les systèmes centrés (même polycentrés), à communication hiérarchique et liaisons préétablies, le rhizome est un système acentré, non hiérarchique et non signifiant, sans Général, sans mémoire organisatrice ou automate central, uniquement défini par une circulation d'états' (32). Suit une polémique passionnée contre toute pensée qui prendrait l'arbre ou la racine comme modèle ou principe :

> L'arbre ou la racine inspire une triste image de la pensée qui ne cesse d'imiter le multiple à partir d'une unité supérieure, de centre ou de segment. [...] Les systèmes arborescents sont

133

des systèmes hiérarchiques qui comportent des centres de signifiance et de subjectivation, des automates centraux comme des mémoires organisées. [...] Nous sommes fatigués de l'arbre. Nous ne devons plus croire aux arbres, aux racines ni aux radicelles, nous en avons trop souffert. [...] Au contraire, rien n'est beau, rien n'est amoureux, rien n'est politique, sauf les tiges souterraines et les racines aériennes, l'adventice et le rhizome. (24-5)

Avec *Poétique de la Relation,* un seuil épistémologique est franchi, et l'ancienne problématique de l'arbre et d'une identité monadique ou monolithique est désormais dépassée pour donner naissance à toute une nouvelle littérature du multiple et du polymorphe que nous examinerons dans les pages qui suivent, en commençant par cette somme de la pensée rhizomatique qu'est *Tout-Monde* (1993).

5. *Tout-monde*

La distinction deleuzo-guattarienne entre pensée-racine et pensée-rhizome - Glissant parle même dans *Tout-monde* de 'la spectaculaire poussée de la pensée du rhizome' (TM 56) - permet à la fois d'éclairer le sens et d'indiquer certaines des faiblesses d'un texte qui se veut et se déclare roman, mais où, à notre avis, le développement du romanesque est freiné par les intentions par trop ouvertement didactiques de l'auteur : *Tout-monde* est un roman à thèse(s) qui se veut dense et complexe comme une mangrove mais que la ou les thèses drainent à la fin de sa substance. Mais pourtant quelle foison d'arbres il déploie dans l'élaboration de ces thèses, et avec quelle attention il faut les répertorier et scruter sous peine de trahir la pensée du 'pacotilleur de toutes ces histoires réassemblées' (463). C'est à cette tâche de recensement et d'explication connexes qu'à nos risques et périls nous allons maintenant procéder....

En premier lieu, pour ce qui en est d'arbres individualisés à poussée unique et système radical 'simple', l'on ne relève, sauf erreur, que les suivants : le 'tronc noirci d'un sablier' (217), un filao (118), les trois ébéniers inévitables (129, 174, 182), le 'pied de térébinthe' dont l'odeur obsède Papa Longoué agonisant (121, 123, 174), et le fromager qui, au milieu des 'bois-mangles mêlés', 'marquait là, bien haut, sa royauté' (218) comme si, même dans ce roman rhizomatique entre tous, subsistait une certaine nostalgie de la 'majesté des grands troncs' (217) et de la pensée arborescente qui s'y rattache; comme le dit un peu ironiquement à un ami l'auteur ou sa persona', il est bien temps que je plante mon acoma' (465), car c'est 'toute cette dérive [..] qu'il fallait bien raccrocher à un bout de terre ou à des troncs d'arbre, que nous appelons si justement des pié-bois. Comme si, de tant errer, nous planterait les pieds dans la terre.' (166) Mais de tels points de repères sont soit étouffés, comme sur la Trace, par un 'enlacement de végétation qui multiplie sans fin' (55) soit abattus, comme les arbres-symbole de La Lézarde, par 'la platitude confortable des maisons de gros-ciment' avec 'leurs haies misérables d'hibiscus qui râlaient leur prétention avortée aux endroits mêmes où avaient venté les flamboyants rouges et jaunes et les hauts pruniers-moubin'. (184)

A ces exceptions près, il semblerait que tous les arbres emblématiques de *Tout-monde* soient des arbres à rhizome plutôt qu'à racine, depuis 'la verticalité prodigieusement descendante du banian' avec 'sa prolifération tombée du ciel' (55-6) jusqu'au 'figuier-maudit dans la damnation de ses branches racinées d'enfer' (78) avec la 'force cachée' de ses innombrables branches-racines qui sont à la fois des 'branches piquées en terre' et des 'racines qui aspiraient à monter'. Ce que Glissant appelle 'la pensée du banian' est, de toute évidence, une version spécifiquement martiniquaise d'une pensée plus générale du rhizome : 'Banians, rhizomes, figuiers-maudits. La même désordonnance du chaos, sous des espèces identiques et dissemblables.' 'Les banians crépitaient en rhizomes dans l'espace du monde', comme si tout à la Martinique et, plus largement dans la Caraïbe, voire dans les Amériques, serait un 'emmêlement de ces banians, chaînes non enchaînées de rhizomes, et profondeurs mal calculées d'un figuier-maudit' (56-8). Et, comme pour souligner ce qui sépare sa vision de celle de Césaire et pour faire ressortir la distance épistémologique qu'il y a de la 'vieille' Négritude à la très moderne, voire postmoderne, Antillanité-Créolité, Glissant contraste son arbre totémique à celui du *Cahier* lorsqu'il évoque l'ante-Béluse et l'ante-Longoué en Afrique 'assis tout à leur aise sous un kaïlcédrat. Non, sous un figuier-maudit.' (92)   Bref, toute l'histoire est un figuier-maudit car tout y est à la fois branche et racine, conséquence et cause, et 'la Lézarde était une petite branche du rhizome' (60), elle dont les eaux se relieraient à une 'double eau' cachée sous la Montagne Pelée, laquelle serait en communication souterraine avec les 'énergies de la Soufrière en Guadeloupe' au nord et avec 'celles (au sud) de Castries et des autres mornes et montagnes qui éparpillent jusqu'aux Andes du Venezuela', de sorte que 'l'eau du volcan faisait rivière dans la géographie tourmentée de ces fonds marins, entre les îles, et peut-être raccordait-elle en une Eau Immense le continent au continent, les Guyanes au Yucatán, à travers cette passe de cratères égrenés dans les îlots, sur cette crête de tremblements où la terre pose la question à la terre' (223-4). Et ainsi de suite : 'le manger est un rhizome' dans ce 'Chaos de cuisine' qui est l'expression culinaire du 'maelström' de l'histoire antillaise (478), la famille Rocamarron est un rhizome (439) qui a proliféré un peu partout aux Antilles et aux Amériques, enfin tout est rhizome car le rhizome est Relation (456), et le réel, comme tout lecteur de Glissant ne le sait que trop bien, est relationnel sous peine de ne pas être du tout....

Un des noeuds de cet immense rhizome intercontinental se trouve en effet dans la mangle du Lamentin (223), et c'est celle-ci qui va inspirer une *demonstratio in extenso* de la pensée-mangrove propre à la nouvelle littérature martiniquaise. La mangrove est diversité et pluralité mais aussi 'sans désordre' (220-1), car elle 'reliait tous les possibles que notre regard avait suscités, au loin ou là tout près' (194). Elle est érotique avec ses racines en 'coucounes' [cons] et 'bandas' [fesses] et d'autres en 'lolos' [verges] (219), elle marie l'eau à la terre (217) et la terre à la lune (197, 213), et pourtant dans 'le discontinu de la mangrove' (229) les formes restent distinctes tout en étant emmêlées les unes aux autres : c'est une masse de végétation mais 'à la fois dense et aérée' de façon à vous cacher mais vous permettant de voir (63, 219). C'est là que 'les Caraïbes avaient adoré la Mère primordiale' (218) et là que s'observent encore de nos jours des rites magiques clandestins (219, 225); il y a 'dans un coin de la mangle, une planche en autel avec un assez grand nombre de bougies à demi consumées' (226). Mathieu a joué enfant dans la mangle avec Silacier (307), et Anastasie la folle (qui se prend pour Mycéa) 'aime courir la mangle' depuis l'enfance, tout comme, selon elle, Mycéa 'a drivé dans la mangle, elle a questionné la lune' (220-1). Anastasie est peut-être morte dans la mangrove, ainsi que Mani avant elle, et le cadavre ni de l'un ni de l'autre n'a été trouvé : 'il y a un risque considérable d'enfoncement dans la natte phréatique qui s'étend dans la mangrove' (223). Toujours obsédée des souvenirs de Maho et de Mani, Artémise 's'obstinait à se déplacer dans cette mangrove' où elle mourra peut-être à son tour (502, 507), alors qu'Apocal, Prisca et 'lui' 'dérivèrent sur la mangrove' (218) à la recherche de tout et de rien : la mangrove, on le voit, est le domaine même de la drive.... Mais d'aucuns ont essayé de s'y fixer, et une maison de pierre, datant de l'esclavage, 'faisait maintenant partie de la mangrove, comme une ruine d'hier concourt aux ruines à venir' (220). Mais il y a aussi une dizaine de sources et de points chauds qui portent bonheur et santé, et les Lamentinois entretenaient autrefois avec elle 'des relations de subsistance : ils en surprenaient les crabes, les mantous, ces crabes poilus qui vous donnaient tant le sentiment que vous touchiez aux fonds, les bois (pour fabriquer les nasses ou étayer les faîtailles des cases), les sangsues (pour les appliquer dans les ventouses scarifiées)'. (221) Bref, la mangle contient - ou contenait - *tout*, et c'est là qu'il faut fouiller 'pour trouver cela que nous sommes capables d'oublier, comme ceci qui remonte malgré nous à souvenir et qui se plante en nous' (229). Vie et mort, passé et présent, masculin et féminin, commencement et fin, tout s'y mêle sans s'y fondre dans un 'trou-bouillon' (176, 233-4 etc) où le tourbillon du Tout-monde tourne tout alentour... C'est bien cette 'mangrove de virtualités' dont parlait déjà *L'Eloge* (Bernabé et al. 1989 : 28), mais en plus vertigineux et en plus inquiétant : 'Nous avons désappris les trous les gouffres' (TM 499), et c'est pourtant là qu'il faut descendre pour monter, car 'si vous ne gravissez pas dans l'obscur, alors vous n'entrerez pas dans la lumière du Tout-monde' (178).

Mais il y a pire encore, car la mangrove se meurt, d'abord du fait d'être squattérisée sur ses bords par des démunis qui 's'étaient construit là des cases qui tendaient de plus en plus à ressembler à des maisons, entre les traces de pierrailles et les chemins d'herbe, tout en bas de l'autoroute qu'on perfectionnait jour après jour', et ces chemins eux-mêmes 'étaient maintenant réputés des réservoirs à drogue, où des enfants de dix ans étaient résolus de vous trucider pour que vous leur achetiez de cette marchandise dont ils étaient les premiers à consommer'. Et puis il y a 'tous les autres du Lamentin' (dont Apocal, Prisca et 'lui' ?) qui 'pourvus dépourvus en avaient aussi redécouvert les vertus cachées' (221), ainsi que 'nous redécouvrons, dans ces années 80-90, les traces de nos forêts : nous devenons Randonneurs' (486). Ironie des ironies, les Martiniquais, à la suite peut-être des 'zoreilles', n'ont que trop bien obéi à l'instance de Longoué de 'remonter jusqu'à la forêt' (1984 : 187) en empruntant pour le faire un de ces 'goudrons de l'infini' (1993-415) qui quadrillent l'île mono-départementalisée.... Ce sont donc en partie les marron-mangroveurs eux-mêmes qui ont détruit la mangrove en y construisant leurs cases qui, si elles ressemblent à des cases de Boni, sont posées 'sur des *pilotis de ciment* tout comme un crabe dressé dans une crabière' (436, c'est moi qui souligne). Mais si le bord de la mangle du Lamentin est désormais bel et bien 'colonisé' (495), ce n'est rien à côté de l'autoroute qui propulse à travers elle 'tout ce qui programmait dans le pays' (471), ni du club nautique qui lui inflige 'la banalité bétonnée des gens d'aisance' et la laisse 'encerclée, pénétrée de tous les déchets de la vie insouciante' (219) ni enfin de l'aéroport où, 'amaigrie', avec 'seuls quelques eucalyptus [..] qui traînaient leur poussiéreuse sécheresse', elle 'venait buter dans les terrains grillagés de l'Aviation générale'. Partout 'le terrain vague gagnait sur la mangle, on pouvait physiquement suivre minute après minute son grignotement d'ordures dans la masse des eaux rouges et des racines jaunies' : '"L'eau du volcan a tari, pensait-il, sa route est terrassée de travaux de constructions et de terrains de décharge, le grand quimbois du management a gagné partout.'" (227) Et cette 'lente banalisation des paysages' (52) se poursuit à travers toute la Martinique, avec 'la platitude confortable des maisons de gros ciment', 'les chancres des maisons sur pilotis qui mangeaient par endroits' les 'houles de végétation' autour de Saint-Joseph (185), et surtout, partout, 'la route goudronnée [qui] éparpillait des deux côtés en un ramas de chemins cimentés montant descendant qui pénétraient au mystère des bois' (503). Le rhizome serait-il coupé, les branches ne tiendraient-elles plus ? (60)

6. 'Notre Mangrove-Martinique'

L'abandon progressif, chez Glissant, de l'image de l'arbre et de la racine en faveur de celle de la mangrove et du rhizome témoigne surtout d'une conscience de plus en plus accentuée de la *complexité* de l'expérience antillaise que ne saurait plus exprimer une pensée univoque comme la Négritude avec sa quête acharnée d'une seule origine perdue. Conscience anti-génétique qui est aussi celle de la Créolité qui reprend, en la schématisant, la distinction entre racine et rhizome pour aboutir à une conception pour ainsi dire palétuvienne, et non plus volcanique ou 'péléenne', du réel martiniquaise, lequel puise à chaque moment dans une 'mangrove de virtualités' que traversent et nourrissent non seulement l'Europe et l'Afrique - chacune diversifiée à l'extrême - mais aussi l'Inde et le Levant, le tout confondu dans un 'formidable "migan"' ou 'soupe primitive' dont il importe au premier chef de ne refuser aucun des éléments constitutifs, étant donné que 'le principe même de notre identité est la complexité' (Bernabé et al 1989 : 26-8). L'on ne s'étonnera donc pas si les arbres ne figurent qu'assez rarement dans les romans de Chamoiseau et de Confiant, et jamais, sauf parodiquement, pour symboliser une 'identité' retrouvée.[5] L'on relève, il est vrai, quelques 'coubarils

---

[5]   La seule exception serait *Marisosé* (1987), un des premiers romans en créole de Raphaël Confiant, où l'héroïne Adelise entretient un rapport de complicité passionnée avec un arbre sous lequel est enterré son cordon ombilical et qui devient 'le centre de [son] existence' (13) au point de ne former plus 'qu'un seul corps' (7) avec elle. Pourtant elle ignore jusqu'au nom de l'arbre, lequel ne tardera pas à mourir, tué par sa propre mère. Toute sa vie durant, 'Marisosé' cherchera, sans succès, un

tutélaires' fort traditionnels dans le premier roman 'français' de Confiant (1988 : 151), mais le figuier-maudit qui pousse dans la case même de Philomène est bel et bien un 'arbre maléfique' dont les 'racines tentaculaires' détruisent 'tout ce qu'elles trouvaient à leur portée'. Ce n'est guère une coïncidence si c'est 'au coeur même du figuier-maudit' que, 'devenue folle dans le mitan de sa tête', Philomène s'installe avec son 'bébé' qui n'est en réalité qu'une poupée blonde (284-6); de même c'est entre les racines d'un arbre à la gauche du monument aux morts qu'on découvre le cadavre de celui qui était Solibo Magnifique (Chamoiseau 1988 : 18). Mais c'est la fuite pseudo-marronne de Cicéron Nestorin dans *L'Allée des Soupirs* qui permet d'ironiser toute conception 'arborescente' d'une éventuelle 'identité martiniquaise'. Plongeant dans la forêt de Balata 'tel un nègre-Congo à qui on venait d'offrir un verre d'orgeat', Cicéron s'identifie très césairiennement, et même en récitant le poète lui-même, avec les arbres - 'il était pied de bois, il était racine, il était feuillage' - au point de s'imaginer réintégré dans 'la terre matricielle d'Afrique-Guinée' : "'Je suis à nouveau parmi vous. J'ai regagné le ventre de ma mère. Pardon pour l'enfant prodigue que je suis !'" Et, installé 'sous l'ombre protectrice d'un

---

substitut à son arbre, surtout en la personne d'Homère en qui elle voit 'un nègre enraciné, planté fermement dans le sol' (111), mais qui l'abandonnera lorsqu'elle devient enceinte et, quasiment fou, se suicidera en se jetant sous les roues d'une voiture. Sans rattaches avec 'sa' terre comme le cerf-volant qu'elle laisse échapper enfant (13), 'Marisosé' finira par quitter la Martinique pour la France. (Je cite d'après la version français du texte, *Mamzelle Libellule* (1994).)

coubaril', Cicéron écrit son *Cahier de doléances des nègres de la Martinique au peuple de France* qui renchérit sur un *Cahier* bien autrement célèbre.... Désormais, il est clair, il n'y a plus que les fous et les faux à rêver un arbre-identité unique (toutes citations dans Confiant 1994a : 260-1).

Face à cette dévalorisation systématique de l'arbre, il y a, dans la littérature de la Créolité, une valorisation tout aussi systématique de la mangrove comme fondation et expression d'une nouvelle conception identitaire.[6] C'est surtout dans la conclusion d'*Aimé Césaire. Une traversée paradoxale du siècle* (1993a) que se déploie, non sans emphase, cet éloge de la mangrove que Raphaël Confiant jette, pour ainsi dire, au visage d'Aimé Césaire et de la vieille pensée-racine qu'il incarne : 'Ce pays est mangrove, Aimé Césaire ! Ce peuple est mangrove, cette langue est mangrove, cette culture est tourbe, gadoue, bayou, marigot.' Loin de déplorer, à la façon du député-maire-poète, la 'condition-mangrove' qui serait celle de la Martinique, il faut s'en réclamer et s'en glorifier, car la mangrove 'est à-quoi-dire une métaphore de la Martinique tout entière : Terre-Peuple-Histoire'. Non seulement 'la mangrove nous a guéris de la soif des origines' qui travaille la vieille pensée-racine, mais 'le Martiniquais est un homme-palétuvier' qui 'se dresse apparemment frêle mais coriaces sur d'invincibles racines échassières' :

---

[6]   Sur le créole comme mangrove, ou plutôt comme 'deux vastes mangroves', l'une 'naturelle', l'autre 'artificielle', voir Chamoiseau 1990 : 33-4.

Il ne s'enfonce pas dans le sol à la manière des très vieux peuples des très vieux continents. Il préfère fouir à même la vase noire et incertaine de la mangrove ses tentacules de détresse et de tendresse mêlées. Et cette vase vit d'une inouïe vitalité, berceau des crustacés et des poissons, ombre protectrice des oiseaux, réceptacle des eaux de ravinement descendues des flancs de toutes nos ravines et tous nos mornes. O mangrove ! O recycleuse ! Inventeuse de vie, oui... Grande ressasseuse de ravinages, de limons, de brisures, de débris, de feuillages, d'eaux feinteusement assoupies, tu nous bâtis chaque jour différents ! Chaque jour plus forts ! Et c'est pourquoi, malgré la montée des périls, jamais disparaître ne nous prendra (comme on dit en créole). JAMAIS.

Certes la mangrove a son odeur à elle, mais celle-ci 'n'est insupportable qu'aux amateurs de parfums artificiels'. Quant à 'nous', 'nous nous goinfrons de tout ce que notre Mangrove-Martinique a recueilli au cours des siècles et forts de ces sédiments, instables certes ! chaotiques certes ! nous avancerons dans le vent neuf du monde, fiers de cette créolité qui est comme une promesse d'humanité renouvelée'. 'Aimé Césaire', proclame Confiant épilogueur, 'la faiblesse de beaucoup d'hommes est qu'ils ne savent devenir ni mangrove ni tourbe', et de terminer par inviter le poète du *Cahier* à s'enfuir avec lui dans cette zone interlope qui, progressivement, a pris la relève des mornes comme domaine de l'authentique : 'Marronnons, Césaire, marronnons dans la mangrove créole !'

Pourtant, même en pleine ferveur palétuvienne, Confiant n'arrive pas à se cacher, ou à nous cacher, l'ombre qui surplombe sa Martinique-Mangrove qui est menacée jusque dans le fond de son être par 'les poseurs de béton que nulle loi ne poursuit contrairement aux poseurs de bombes' :

> Chaque année, cinq cents hectares de bonnes terres agricoles sont définitivement soustraits à leur vocation première. Des pentes sont irrémédiablement ravinées par une déforestation insensée. Des baies polluées jusqu'à l'étouffement par mille et un déchets. Des mangles rasées pour faire place à des infrastructures hôtelières à la rentabilité improbable. Mangrove-Martinique : peau de chagrin...
> (toutes citations dans Confiant 1993a : 299-304)

Tout comme il n'y a guère plus de mornes, réels ou imaginaires, où marronner, de même la mangle se rétrécit de toutes parts : pour de vrai à la Pointe Couchée et à Monnerot Nord près du Français, au Bassin Tortue au Marin, à la Pointe du Vauclin, et surtout dans la Baie de Fort-de-France où 400ha ont été drainés et 'bétonisés' par la nouvelle aérogare et ses zones annexes (voir Sy 1990), au figuré dans les coutumes, les mentalités et avant tout dans la langue que menace 'une disparition par ingurgitation trop massive de vocables et de structures grammaticales françaises'. Hélas, la mangrove se meurt, et 'il faut bien l'avouer aujourd'hui, le combat créolophile et nationalitaire des années soixante-dix/quatre-vingt, pour beau et utile qu'il fût, est venu trop tard'

(Confiant 1993a : 120-1). Implacable, le béton s'avance sur le paysage comme dans les esprits et, en l'absence d'une 'résistance fondamentale' aujourd'hui disparue, c'est bien 'dans la terrible mangrove du *petit refus*' (Chamoiseau 1995 : 5, c'est l'auteur qui souligne) qu'il faut chercher le peu qui reste de non-acceptation à la Martinique. Marronner dans la mangle est tout aussi futile que marronner dans les mornes. Mais il y a une autre façon de marronner, non pas en dehors du 'système' mais dans son intérieur même, et une autre mangrove, la 'mangrove urbaine' (Chamoiseau 1992 : 289), qui offrira des possibilités de drive bien plus riches de promesse que les zones périphériques désormais phagocytées par le centre. C'est maintenant le thème, ambivalent entre tous, du marronnage à l'intérieur du système que nous allons aborder avec les romans urbains de Patrick Chamoiseau.

147

CHAPITRE IV

DÉBROUYA PA PÉCHÉ, OU IL Y A TOUJOURS MOYEN DE MOYENNER :

TACTIQUES OPPOSITIONNELLES DANS L'OEUVRE DE PATRICK CHAMOISEAU

Nos contes et nos Conteurs datent de la période esclavagiste et coloniale. Leurs significations profondes ne peuvent se discerner qu'en référence à cette époque fondamentale de l'histoire des Antilles. Notre Conteur est le délégué à la voix d'un peuple enchaîné, affamé, vivant dans la peur et les postures de la survie. [..] Si leur fonction ludique est indéniable (quel meilleur terreau d'espoir que le rire quand on doit vivre dans une manière d'enfer ?), ils constituent globalement une dynamique éducative, un mode d'apprentissage de la vie, ou plus exactement de la survie en pays colonisé : le conte créole dit que la peur est là, que chaque brin du monde est terrifiant, et qu'il faut savoir vivre avec; le conte créole dit que la force ouverte est le fourrier de la défaite, du châtiment, et que le faible, à force de ruse, de détours, de patience, de débrouillardise qui n'est jamais péché, peut vaincre le fort ou saisir la puissance au collet; le conte créole éclabousse le système de valeurs dominant, de toutes les sapes de l'immoralité, que dis-je : de l'a-moralité du plus faible. Il n'a pourtant pas de message 'révolutionnaire', ses solutions à la déveine ne sont pas collectives, le héros est seul, égoïste, préoccupé de sa seule échappée. C'est pourquoi on peut penser, comme le propose Edouard Glissant, qu'il y a là un détour emblématique, un système de contre-valeurs ou de contre-culture, où se manifestent en même temps une impuissance à se libérer globalement et un acharnement à tenter de le faire. Le Conteur créole est un bel exemple de cette situation paradoxale : le maître sait qu'il parle, le maître tolère qu'il parle, parfois même le maître entend ce qu'il dit; sa Parole se doit donc d'être opaque, détournée, d'une signifiance diffractée en mille miettes sybillines. Sa narration tournoie sur de longues digressions humoristiques, érotiques, souvent même ésotériques. Son dialogue avec l'auditoire est incessant, ponctué d'onomatopées et de bruitages, qui visent autant à retenir l'attention qu'à ôter de son propos toute évidence alors dangereuse. Et, là encore, Edouard Glissant a raison de souligner que son projet est presque d'obscurcir en révélant. De former et d'informer dans l'hypnose de la voix ou le mystère du verbe. (Chamoiseau 1988b : 10-11)

Né à Fort-de-France en 1953 et élevé au coeur même de l'En-ville, comme il le raconte dans *Antan d'enfance* (1990), Patrick Chamoiseau est le premier écrivain martiniquais d'importance qui soit originaire de la capitale, et il sera considéré, dans ce chapitre et le suivant, surtout comme romancier *urbain*, soit de cette dimension du vécu martiniquais qui est, comme nous l'avons vu, plus ou moins systématiquement occultée dans l'oeuvre romanesque d'Edouard Glissant. En passant de l'univers presque exclusivement rural de Glissant à celui, essentiellement urbain, de Patrick Chamoiseau, nous passons d'une forme de marronnage à une autre : d'un marronnage qui, prenant pour terre d'élection les mornes, a lieu sur les marges du 'système' à un autre qui, se faufilant à l'intérieur de celui-ci, se déroule dans son coeur même, que ce soit sur l'habitation ou dans la ville, à Saint-Pierre d'abord et ensuite à Fort-de-France. En nous déplaçant de la périphérie au centre, nous passons du postulat d'un refus global de l'esclavage comme de ses suites (assimilation, départementalisation) aux techniques quotidiennes de la survie et de la manipulation, techniques que résume à merveille le proverbe créole *Débrouya pa péché*, il n'y a aucun péché à se débrouiller, à profiter du système en le retournant contre lui-même et contre ceux qui l'imposent. Ce qu'on a appelé une idéologie de la débrouillardise (voir I. Césaire 1978) imprègne tout l'univers du conte créole dans lequel puise si librement la vision romanesque de Patrick Chamoiseau. La débrouillardise, c'est, pour reprendre une expression célèbre de Jean-François Lyotard (1976 : 4), la force des faibles, la seule arme dont disposent les démunis pour survivre et, le cas échéant, pour retourner contre lui-même le système qui les opprime et en tirer avantage : son emblème ou archétype dans le conte créole s'appelle Ti-Jean ou Compère Lapin. En analysant le thème de la débrouillardise dans *Chronique des sept misères* (1986) et *Solibo Magnifique* (1988),[1] nous nous proposons d'employer une distinction entre la résistance et l'opposition que nous devons à *L'Invention du quotidien* (1980) de Michel de Certeau. De Certeau soutient que la *résistance* à un système de domination quelconque ne devient possible qu'à partir du moment où les dominés peuvent se mettre entièrement en dehors du système en question. La résistance exige un ailleurs d'où le système peut être perçu et embrassé comme totalité et d'où une *stratégie* cohérente visant sa destruction peut être élaborée. Alors que la résistance dépend de la possibilité d'une extériorité, l'*opposition* 'n'a pour lieu que celui de l'autre'. Elle se conduit forcément à l'intérieur du système en jouant 'avec le terrain qui lui est imposé tel que l'organise la loi d'une force étrangère' et, en

---

[1]   Dans ce chapitre et le suivant, nous employons les sigles suivants : A = *Antan d'enfance* (1990), C = *Chronique des sept misères* (1986), CE = *Chemin-d'école* (1994), MD = *Manman Dlo contre la fée Carabosse* (1982), S = *Solibo Magnifique* (1988), T = *Texaco* (1992).

l'absence d'un 'lieu propre' ou d'une 'vision globalisante', elle 'fait du coup par coup' et procède *de tactique en tactique* : 'Il lui faut utiliser, vigilante, les failles que les conjonctures particulières ouvrent dans la surveillance du pouvoir propriétaire. Elle y braconne. Elle y crée des surprises. Il lui est possible d'être là où on ne l'attend pas. Elle est ruse. En somme, c'est un art du faible.' (De Certeau 1990: 60-2)[2]

La valeur qu'a cette distinction pour l'analyse des sociétés coloniales est assez évidente, et surtout en ce qui concerne une société paracoloniale comme la Martinique, avec son passé esclavagiste et son présent que caractérise une assimilation exacerbée à chaque niveau de la vie. Pour ce qui concerne l'esclavage, elle permet de transcender le contraste que font couramment les historiens entre formes 'physiques' (ou 'violentes') et formes 'psychologiques' (ou 'non-violentes') de la résistance en adoptant une distinction plus nette entre opposition et résistance :

---

[2] A cette distinction entre résistance et opposition, on pourrait relier l'idée de Michel Foucault (1976 : 125-6) selon laquelle 'là où il y a pouvoir, il y a résistance et [..] pourtant, ou plutôt par là même, celle-ci n'est jamais en position d'extériorité par rapport au pouvoir.' De sorte qu'il n'y a que très rarement dans l'histoire 'des grandes ruptures radicales, des partages binaires et massifs', non pas '*un* lieu de grand Refus-âme de la révolte, foyer de toutes les rébellions, loi pure du révolutionnaire' mais plutôt '*des* résistances' qui sont présentes 'partout dans le réseau du pouvoir' mais qui 'ne peuvent exister que dans le champ stratégique des relations de pouvoir'. Il va sans dire que l'idée foucauldienne de résistance correspond à ce que de Certeau appelle opposition, alors que la résistance de celui-ci correspondrait au Refus de Foucault.

tous les esclaves, pourrait-on dire, se sont toujours *opposés* à l'esclavage, alors que seuls certains esclaves y ont *résisté* lorsque les circonstances historiques - guerre entre les puissances coloniales, par exemple, ou révolution en métropole - leur ont permis de sortir du système pour le confronter en tant que totalité extérieure à eux-mêmes. Pour ce qui concerne l'état d'assimilation politique, économique et culturelle avancée qui est celui des Antilles françaises de nos jours, la distinction résistance-opposition est encore plus suggestive. Si Edouard Glissant a raison de soutenir qu'il n'existe plus à la Martinique d'arrière-pays' physique, culturel ou psychologique dans lequel, tels des marrons dans les mornes, les Martiniquais peuvent se retirer pour rassembler les ressources que mine et disperse l'assimilation omnilatérale, alors il ne reste que l'*opposition* à ceux qui sont dépossédés en tant que Martiniquais par le système même qui les a investis - dans chaque sens du mot - en tant que citoyens français. Le thème du marronnage est, comme nous le verrons, d'importance primordiale pour Patrick Chamoiseau, et ses romans fourmillent de personnages qui, d'une façon ou d'une autre, tentent de revivre le geste du nègre marron dans la Martinique assimilée de nos jours. Mais dans la région dite monodépartementale, la distinction glissantienne entre la servitude et puis l'assimilation contrainte de la plaine, d'une part, et, de l'autre, l'autonomie - en réalité toute relative - des mornes se déconstruit d'un jour à l'autre à mesure que *tout* se bétonise, les coeurs et les esprits tout autant que le paysage, pour ne laisser aucun ailleurs d'où une stratégie de résistance serait possible. Lorsqu'il n'y a plus d'extériorité, le seul recours des dominés, ce sont les innombrables tactiques d'une opposition qui ne peut procéder que par indirection et par ruse dans le mode du *larvatus prodeo* qui a de tout temps constitué la force des faibles.

Pourtant, le premier texte que Chamoiseau a publié, *Manman Dlo contre la fée Carabosse* (1982) entretient toujours la possibilité d'une résistance dans le sens que de Certeau donne à ce terme. La pièce met en scène le conflit entre la puissance coloniale et sa culture, symbolisée par la fée maligne Carabosse, et la culture dominée, symbolisée par la déesse aquatique Manman Dlo et l'esprit forestier Papa-Zombi qui, soutenus d'autres créatures de l'eau et des mornes, s'engagent à résister au projet colonisateur de Carabosse et de son assistant Balai. Carabosse est associée dès le début avec l'écrit et Manman Dlo et ses alliés avec l'oral, le premier effet de l'arrivée de Carabosse étant de réduire au silence tous ces esprits qui avaient jusque-là rempli l'île de leurs chants et de leurs paroles ininterrompus. Toutefois, Manman Dlo et Papa-Zombi arrivent peu à peu à rassembler les ressources orales qui leur permettent de se mesurer avec Carabosse et son scribe et de convoquer les forces de l'eau et du vent qui finiront par les chasser de l'île. Superficiellement, *Manman Dlo* est une allégorie nationaliste simpliste que distingue une évaluation optimiste des ressources de la culture dominée face au système colonial qui l'opprime. La pièce a pourtant un défaut fondamental, lequel réside dans l'incertitude qui entoure l'origine et le statut de la contre-culture créole qu'incarne Manman Dlo. En soulignant l'origine africaine de celle-ci, Chamoiseau semble attribuer à la contre-culture créole une existence et une identité qui soient antérieures à et tout à fait distinctes de la culture coloniale qu'elle est

155

sommée de combattre; c'est comme si Manman Dlo et sa famille spirituelle occupaient l'île de temps immémorial *avant* l'arrivée de Carabosse et la culture écrite qu'elle apporte. Mais, bien qu'ils soient sans doute d'*origine* africaine, Manman Dlo et Papa-Zombi ne sont aux Antilles que parce que Carabosse, dans son rôle d'esclavagiste, les y a transportés. Il se peut bien que la culture créole, tout comme la langue créole, soit de caractère *anti*-colonial, mais elle ne saurait être en aucun cas *ante*-coloniale. Au contraire, la Créolité est un produit et une conséquence du colonialisme qui, malgré les éléments non-européens qu'elle comporte, n'en reste pas moins imprégnée, si ce n'est contaminée, par la culture du colonisateur. Elle est certes *différente* de celle-ci sans pourtant en être *séparée*, et ne saurait être assimilée, par exemple, aux cultures 'traditionnelles' de l'Afrique Noire qui sont à la fois antérieures et extérieures aux cultures coloniales européennes qui leur ont été superposées. En attribuant à la contre-culture créole une identité tout à fait distincte de celle de la culture coloniale, Chamoiseau arrive à donner à son oeuvre une conclusion triomphante qui, outre son caractère fantasmagorique, méconnaît fondamentalement la nature du rapport entre culture dominante et culture dominée aux Antilles. L'auteur semble s'en douter lorsque dans la dernière scène de la pièce Manman Dlo remet à la fille Algoline la baguette magique que Carabosse a laissée derrière elle en s'enfuyant de l'île, et la presse d'*assimiler* (MD 139) les pouvoirs surnaturels qu'elle incarne, dont surtout celui, formidable et énigmatique entre tous, de l'écriture, en vue de transcender l'opposition entre l'oral et l'écrit dramatisée par la pièce. La position de l'auteur reste pour le moins obscure. Il est 'Fils de la Parole' (141) et en dépend pour son existence même, mais en transcrivant l'oral en écrit, s'expose à l'accusation de trahir celui-ci par le fait même de lui donner une forme scripturale. Problème qui sera au coeur de la thématique de *Solibo Magnifique* mais que *Manman Dlo* ne soulève que pour l'escamoter tout de suite: l'on ne s'étonnera pas que, interrogé aujourd'hui au sujet de ce texte d'apprentissage, Chamoiseau ne fait que sourire et hausser les épaules...

Malgré sa représentation contestable du rapport entre cultures dominante et dominée, *Manman Dlo* établit avec netteté la structure tripartite de l'univers romanesque de Chamoiseau. D'un côté toujours associé avec la rationalité, l'ordre et le texte écrit (en français, bien sûr), se trouve le monde des puissants qui ne sont pas toujours forcément des 'Blancs-Français' mais, dans la Martinique assimilée, peuvent appartenir à n'importe quelle catégorie raciale. Face à ceux-ci, et apparenté à la fantaisie, à la magie, aux forces élémentaires de l'eau et de la forêt, et surtout à la Parole (créole, s'entend), se dresse le monde des démunis, hommes et femmes d'origine africaine ou indienne qui doivent se débrouiller tant bien que mal sur un terrain qui, d'abord défini et régi par des Blancs (békés-France et békés-pays indifféremment) a été progressivement investi par des Martiniquais de couleur, mulâtres d'abord et puis noirs, acquis à l'idéologie assimilationniste dominante. A cheval sur ces deux mondes, écartelé et en même temps médiatisant entre eux, se place l'écrivain, mieux le marqueur de paroles, dont la position interstitielle rappelle celle des djobeurs et des autres êtres liminaires qui peuplent le premier roman de Chamoiseau, *Chronique des sept misères*. Le roman emploie le marché des légumes à Fort-de-France comme métaphore des multiples transformations subies par la Martinique depuis l'immédiat avant-guerre jusqu'au début des années 1980, en passant par le 'temps Robert' (1940-43) et la départementalisation de 1946, pour faire ressortir la désagrégation, apparente dès le début des années 1960 et s'aggravant inexorablement depuis, de la culture créole traditionnelle que pulvérisent styles de vie, façons de penser et produits d'importation français, sans parler de la langue française elle-même. Face au marché, et en concurrence avec lui, se dresse l'hypermarché, image et expression du nouvel ordre des choses, et les djobeurs ou portefaix du marché assistent, impuissants, à l'effondrement non seulement de leur moyens d'existence mais aussi de la culture essentiellement orale que le marché a nourrie, de sorte qu'à la fin du roman, 'victimes d'une gomme invisible', ils semblent 'tout bonnement [s'effacer] de la vie' (C 216), 'incapables du *Je*, du *Tu*, de distinguer les uns des autres, dans une survie collective et diffuse, sans rythme interne ni externe' (240). Au moment de leur apogée, pourtant, immédiatement avant et après le 'temps Robert', les djobeurs étaient la débrouillardise même, incarnation collective vivante de toute une culture et de tout un mode de vie oppositionnels qui, comme l'explique l'esprit ressuscité d'un esclave africain nommé Afoukal, a ses origines dans les tactiques de survie propres à la communauté servile. Culture oppositionnelle, culture des faibles, la Créolité ne peut se comprendre qu'à partir des structures de pouvoir auxquelles elle s'oppose, et c'est à partir de celles-ci, et surtout de la connexité du pouvoir et de l'écrit, que doit commencer toute discussion critique de l'oeuvre de Chamoiseau.

Une chronique, ainsi que le proclame son titre, des misères séculaires du petit peuple martiniquais (et aussi, inséparablement, de ses splendeurs), le premier roman de Chamoiseau convoque des figures d'autorité de chaque période de l'histoire du pays pour montrer comment, aux Antilles, il subsiste un invariant structurel du pouvoir par-dessous les changements de superstructure (abolition de l'esclavage, institutions républicaines, départementalisation, régionalisation) qui, malgré leur importance, n'ont en rien entamé - ou du moins c'est l'opinion de l'auteur - la logique sous-jacente de la domination intérieure et extérieure. Bien qu'il n'y ait pour Chamoiseau aucun doute que la source ultime du pouvoir ne se trouve en France métropolitaine, il ne se préoccupe pas uniquement, ou même surtout, des 'Français de France' qui peuvent l'exercer sur place, ou même des békés-pays qui leur sont tantôt opposés tantôt alliés : un des thèmes fondamentaux de son oeuvre, c'est plutôt le rôle joué dans l'agencement du pouvoir par ces Martiniquais (et, plus rarement, Martiniquaises) de couleur qui, depuis l'époque esclavagiste jusqu'au présent, ont d'une façon ou d'une autre collaboré avec le système et, débrouillards eux-mêmes, ont su le retourner à leur avantage en s'immisçant dans ses rouages. En ce qui concerne l'esclavage lui-même, Chamoiseau nous montre, à travers les souvenirs d'Afoukal, que, sans la collaboration de certains esclaves, notamment de cette figure ambivalente entre toutes qu'est le commandeur, les maîtres n'auraient pu maîtriser le système dont ils tiraient profit. Les structures du pouvoir s'étendent, s'éternisent et se brouillent et, comme l'avoue Afoukal, les esclaves en viennent progressivement à s'identifier avec leur maître en qui ils retrouvent le père symbolique qui leur fait si souvent défaut ('J'étais si lié au maître que je ne pouvais plus envisager ma vie sans lui', C 168), tout comme des générations ultérieures de Martiniquais de couleur vont s'identifier avec Victor Schoelcher, le Maréchal Pétain ('ô Papa de nous tous, auquel il fallait obéir', 54), 'Papa-de-Gaulle' (55) ou, un père noir ou mulâtre remplaçant le père blanc, 'Papa Césaire' ou son adjoint 'le père Aliker' (200-1). Peu à peu, l'Autre est intériorisé en tant que Père à la fois généreux et sévère, bref comme une figure surmoïque devant laquelle le moi martiniquais est toujours reconnaissant et fautif. Le pouvoir non seulement régit le comportement extérieur du dominé mais s'implante jusque dans son for intérieur et, de ce fait, rend la résistance, dans le sens d'une négation totale du pouvoir, littéralement *impensable*. Désormais toute contestation aura lieu sur le terrain de l'Autre, en employant contre lui des armes que lui-même a forgées, notamment la langue française et l'idéologie assimilationniste qu'elle relaie. Le Martiniquais essaiera de parer aux méfaits du colonialisme français en devenant citoyen français, soit de sortir de la domination en s'identifiant avec le dominateur, enfin de se revendiquer comme Français tout en se niant comme Martiniquais. Le cercle se ferme : il n'y a plus d'alternative à la domination qui ne soit déjà française.

Avec l'abolition de l'esclavage en 1848, et plus encore avec le transfert, au début de la Troisième République, des institutions républicaines, surtout de l'école laïque, aux 'vieilles colonies', le pouvoir subit une mutation importante, puisque c'est désormais la France, en sa guise de mère-patrie, de mère et de père à la fois,[3] que sera accueillie par les Martiniquais de couleur comme celle qui les a libérés du joug de l'esclavage et qui les protège encore contre leurs anciens maîtres. Mais, sous les dehors maternels dont la France se voile, c'est encore le pouvoir du Père qui s'incarne et se transmet en ces figures caractéristiques que sont les gendarmes à cheval qui ont remplacé les miliciens et les chasseurs d'esclaves de l'ancien ordre (C 24, 100, voir aussi S 78, 193), ou les officiers d'immigration responsables de l'enregistrement des engagés 'coulis' qui ont pris la relève des négriers d'antan (98). Comme sous l'esclavage (152-7), le prêtre continue d'enseigner la patience et la résignation, mais sa place dans la transmission des valeurs hégémoniques le cède désormais à celle de l'instituteur ou de l'institutrice qui, pour leur part, prônent l'avancement social par la maîtrise du français. Langue à la fois de la domination et d'une libération éventuelle, le français est désiré et redouté par la population créolophone qui y voit indissolublement la langue des gendarmes à cheval (27) et une manière de pénétrer, et de manipuler à leur avantage, un système qui, jusque-là, les avait exclus : la surévaluation du français entraînant, de nécessité, la sous-évaluation du créole, la culture des dominés est de plus en plus phagocytée par la culture dominante. Après l'interlude robertiste où les excès des marins vichyistes ont ressuscité les pires souvenirs de l'esclavage (54-5), la départementalisation a apporté un nouveau personnel

---

3   Pour ce thème, voir notre étude *La Famille coloniale. La Martinique et la Mère-Patrie 1789-1992* (Burton 1994).

dominateur : policiers paramilitaires (C.R.S.) et légionnaires remplacent les gendarmes à cheval et, au besoin, comme lors des émeutes de décembre 1959 ou encore en 1976 (220-3, voir aussi A 63-4), déploient toute la force dont ils disposent pour empêcher que l'opposition ne se mue en résistance ouverte. Mais désormais c'est plutôt par 'les labyrinthes de l'Assistance publique' (117) et en la personne de la 'policière sociale' (205) francophone sinon française que le pouvoir se manifeste et se voile aux Antilles. Il y a en plus les 'nouveaux sorciers de la Faculté de médecine de Paris' (181) que beaucoup de Martiniquais, selon Chamoiseau, ont peur de consulter, les psychiatres de Colson où mourra, frappé de démence, un des djobeurs (138, 213), le psychologue scolaire français qui se méprend totalement sur le sens des structures familiales antillaises (S 52) ou, plus sinistres, les médecins légistes qui jettent un voile secret sur la mort d'un émeutier aux mains des C.R.S. : bref, tout un dispositif policier, juridique, pédagogique, psychiatrique et médical qui investit progressivement tout l'espace martiniquais. Le marché de Fort-de-France ne saurait en sortir indemne. Au lendemain de la départementalisation, l'apparent désordre' du marché, avec son 'imperceptible agencement' et ses 'subtils équilibres' (C 49-50) est peu à peu soumis au 'compas' et à 'l'équerre' du gardien municipal qui, au nom de l'édilité (c'est-à-dire en dernière instance au nom d'Aimé Césaire, alors communiste), insistent que désormais viandes, poissons et légumes se vendent séparément (75) : l'entrelacement complexe de l'ensemble - choses, gens et langage - en est subtilement modifié, et le marché traditionnel commence sa lente et pourtant inévitable déchéance qui l'amènera, à la fin du roman, à une homogénéisation silencieuse et sans vie : à la petite comme à la grande échelle, le Même, pour employer un terme glissantien que Chamoiseau ne désavouerait point, a triomphé du Divers. Dans le dernier paragraphe du roman, les djobeurs, rendus superflus par la marche de l'assimilation ubiquitaire, voient leurs brouettes - véhicules, dans chaque sens du mot, de la débrouillardise créole dans toute sa gloire primesautière - confiées au camion de la voirie municipale par le gardien désormais tout-puissant. Le triomphe du règlement écrit sur le chaos autorégulateur de la Créolité est complet. Le pouvoir est partout et nulle part. Dans la sphère économique, l'hypermarché n'a épargné qu'une poignée de marchandes, et ces survivantes arrivent en fourgonnettes au marché, leurs légumes contenus dans des casiers de plastique; pour leur part, 'les marchandes-sorcières ne venaient plus : il y avait tant de pharmacies !' (215) En ce qui concerne la politique, les adversaires 'officiels' du système, notamment Césaire et les autonomistes du P.P.M., ont intériorisé à leur insu le discours dominant, surtout dans leur mépris inavoué du créole (200) et dans leur conviction que la Martinique ne saurait survivre en dehors du giron de la France métropolitaine. Une étudiante 'révolutionnaire' harangue les marchandes et ne comprend rien lorsqu'on lui répond en créole (135). Si jusqu'aux adversaires attitrés de l'assimilationnisme en reproduisent inconsciemment les mentalités, comment, dans la Martinique départementalisée et régionalisée de nos jours, croire à la possibilité d'une résistance au 'système' quand celui-ci ne laisse aucun espace à l'éventuel résistant qui ne soit déjà défini par le discours de l'Autre ?

En cherchant une issue à cette aporie, Chamoiseau recourt d'abord au marronnage dans lequel, à la suite de Glissant, il voit le prototype de la résistance aux Antilles, mais c'est pour faire une distinction fondamentale (162-5) entre la 'grande marronne' (où le fugitif se retire de façon totale et permanente de l'habitation pour vivre seul ou dans une communauté marronne dans les mornes) et la 'petite marronne' (où, par contre, le fugitif ne s'éloigne que pour un temps de l'habitation avec laquelle il continue de vivre en symbiose ambivalente quitte à y retourner à plus ou moins longue échéance). Chamoiseau souligne combien il était rare et difficultueux, dans une île aussi petite que la Martinique, de se retrancher totalement du monde habitationnaire. Certes, il y a de grands marrons qui s'installent en des redoutes montagnardes où ils vivent en harmonie remarquable avec la nature ambiante (les marrons sont, pour Chamoiseau, les premiers écologistes antillais...), mais, s'ils sont 'bien implantés', ils sont aussi 'en dérive' dans 'la plus digne des misères', les yeux de leurs enfants 'sombres, dévastés, plus chauds et lointains qu'un souvenir du Grand-Pays' (165). Leur isolement n'empêche que les grands marrons ne dépendent toujours de la plantation en ce qui concerne les outils et les armes, certaines denrées alimentaires et surtout les femmes et, s'ils foncent de temps à autre dans la plaine, ce n'est que pour retrouver leur 'vieille crainte' du maître et 'le brusque engourdissement' qui leur saisit les membres lorsque celui-ci leur fait face : 'Moment privilégié pour te savoir nègre-marron ou pas. C'est ton coutelas qui frappe ou c'est le maître qui

164

tranquillement te tue. Sais-tu qu'il en tuait souvent ?' (164) Bref, en fuyant la plantation, même les grands marrons ne sortent pas pour autant de l'aire de son influence. S'ils sont relativement autonomes, ils ne sont certes pas indépendants et, surtout, l'image de leur ancien maître leur reste dans la tête comme un sur-moi aux emprises duquel ils ne sauraient échapper, même au plus profond de leurs tanières sylvestres.

Bien plus fréquent que la grande marronne est ce que Chamoiseau appelle le 'marronnage de devant-les-bois', soit la fuite dans cette zone intermédiaire *entre* l'habitation et les mornes que nous avons déjà rencontrée chez Glissant, espace ambigu où, pour un temps, les esclaves '[s'abreuvent] d'une liberté impuissante à trancher ce cordon ombilical qui te reliait au ventre des souffrances. Cela durait généralement six mois. Puis tu revenais. Le maître, qui t'avait toujours su dans les environs, te fouettait pour le principe. L'économe, lui, ne t'avait même pas rayé des listes. Est-ce que la petite marronne se pratique encore aujourd'hui ?' (162-3) Question à laquelle il faut bien répondre que oui : par la quasi-totalité du petit peuple martiniquais, à en croire *Chronique des sept misères* et *Solibo Magnifique*, sans exclure une fraction importante de la bourgeoisie de couleur, y compris le marqueur de paroles lui-même. Si la grande marronne s'avère pour ainsi dire impossible dans la Martinique hyper-assimilée et quadrillée de nos jours, la petite marronne, inséparable de la pratique de la débrouillardise, constitue pourtant une façon quotidienne de s'opposer au système dominant, de survivre, et même quelquefois de fleurir, dans un monde interlope qui participe à la fois de celui de la plaine et des mornes, sans être ni l'un ni l'autre tout à fait. Il y a bien sûr de grands marrons, ou qui se veulent tels, dans la Martinique moderne : rastas qui cultivent leurs propres légumes (et leur propre cannabis) dans les bois aux alentours de Fort-de-France et qui, '[renouant] l'ancestrale connivence de l'homme avec la terre', 's'étaient introduits dans l'harmonie des bas-bois, des insectes et razziés, du ciel et du sol, récoltant une science naturelle' (195), quelques charbonniers tardifs, dont Solibo lui-même, qui survivent tant bien que mal dans les bois de Tivoli au nord de la capitale, quimboiseurs, papas-feuille et autres magiciens et guérisseurs qui vivent loin des communautés établies en des cases délabrées au fond des forêts. Mais si ces épigones des grands marrons d'antan se sont écartés des nouvelles plantations urbaines, ils n'en restent pas moins dépendants, et leur autonomie, comme d'ailleurs celle de leurs antécédents, est en réalité très relative. Pris dans un réseau d'échanges avec les gens de la plaine, ils sont en outre harcelés non seulement par les forces de l'ordre, ce dont ils s'accommodent sans peine, mais, ironie suprême, par une foule de nostalgiques ou de rêveurs d'en bas qui voient dans leur refus de la société policée le *nec plus ultra* de l'authenticité marronne. Lorsque Pipi, le roi des djobeurs, s'enfuit dans les mornes autour de Fort-de-France pour cultiver des légumes-pays en suivant les méthodes des jardins créoles d'antan, il est pourchassé par toute une théorie de 'spécialistes' et de notables - y compris Césaire lui-même - pour lesquels son autarcie offre un modèle pour une éventuelle Martinique autonome. En un rien du temps, les 'botanistes et agronomes noirs' du Conseil Régional ont réussi à détruire l'équilibre écologique complexe de son lopin de terre, en acculant Pipi au désespoir et, sous peu, à la mort (196-204). Encore une fois l'écrit - manipulé, comme c'est souvent le cas, par des Martiniquais de couleur - a bouleversé l'ordre subtil de la contre-culture créole, avec cette ironie supplémentaire que, cette fois, ce sont les apôtres du Divers qui sont responsables de sa réduction au Même.

Il ressort de la lecture de *Chronique des sept misères* qu'il n'est plus possible, dans la Martinique assimilée, de se marginaliser par rapport au système pour la très bonne raison que celui-ci a déjà aspiré les marges. Pourtant le roman suggère aussi qu'il est toujours possible de manoeuvrer à l'intérieur du système, et cela jusque dans l'En-ville elle-même, laquelle, surtout au marché et dans les rues attenantes, offre un terrain propice à la pratique de la débrouillardise et de la drive. A en croire Glissant (1981 : 73), les techniques de survie économique propres au petit peuple martiniquais étaient déjà une forme de marronnage en elles-mêmes : *Chronique des sept misères* montre, pour sa part, que le djobeur est le petit marron par excellence, à cette différence près que c'est la ville elle-même qui est le site de sa drive et que c'est au coeur même du système qu'il mène son jeu oppositionnel complexe. Chamoiseau souligne d'entrée en jeu que les djobeurs sont essentiellement improductifs; ce sont des médiateurs 'riches seulement d'une brouette et de son maniement' (15), et c'est là, précisément, que se trouve leur talon d'Achille. Chaque djobeur doit construire sa propre brouette à partir des matériaux que le hasard lui fournit ('là, naît le djobeur, seul et libre avec lui-même' (86)), apprendre à la manier entre les différents points nodaux - fournisseur-vendeuse-chaland(e) - du réseau d'échange et de faire les contacts personnels qui s'imposent avec les marchandes qui lui paieront ses services. Sorti de son apprentissage, le djobeur est un 'docteur en brouette' (89) et, bien qu'il fasse partie d'une espèce de corporation ou de clan, son *modus operandi* est strictement individualiste. Trickster et bricoleur tout à la fois, le djobeur investit les lignes de suture de l'économie alternative créole. Etre des interstices, il fait la navette entre les différents participants à la relation d'échange, de sorte que 'ses errances entre les paniers' deviennent imperceptiblement une 'partie intégrante du marché' (69). Mais dans la mesure où il fait un travail parasitaire, il est plus vulnérable que quiconque aux trans-formations économiques et sociales que la départementalisation entraîne à sa remorque. Peu à peu se bouchent les failles et les fissures où il s'était établi, et ce qui jadis constituait son triomphe et sa gloire - sa brouette et la manière géniale dont il savait la manier, en esquivant les obstacles, à travers l'espace du marché pour en tresser les différents fils en un tissu de communication et de réciprocité intense - se transforme en indice d'une inconséquence chaque jour plus flagrante. Dès le début des années 1960 les djobeurs commencent à se rendre compte que '[leur] seule science, celle de la brouette, perdait sa netteté. [..] Les outils, si bien maniés auparavant, se révélaient étranges, comme si nous devenions l'écume inutile d'une vie qui changeait. [..] Nous, maîtres-djobeurs blanchissants, n'avions aucune échappatoire : en dehors du marché nous ne savions rien faire.' (136) La brouette d'un djobeur surnommé Bidjoule perd une roue et brise son essieu qu'il n'arrive pas à bien réparer; il ne peut plus la manier

168

avec la précision nécessaire, ses djobs sont de plus en plus mal faits, il se cogne contre les voitures que sa brouette érafle, preuve qu'au milieu de l'effritement de la culture traditionnelle du marché il perd sa boussole. On l'hospitalise à Colson où, sous peu, il est retrouvé mort, 'couché en position foetale, un sourire sur les lèvres' (138). Désemparé et en proie au désespoir, Pipi quitte lui aussi le marché, en abandonnant derrière lui sa brouette dorénavant inutile : 'Rien n'est plus affreux pour un djobeur qu'une brouette abandonnée. Fleur fragile, elle se fane là même, brouille son éclat, tasse son allure, appelle poussières et taches. Pour qui sait entendre, la brouette gémit.' (176) Jadis véhicule de communication et d'échange et en cela microcosme de toute la contre-culture créole, voire de la langue créole elle-même, la brouette n'est à la fin du roman qu'un signifiant à la dérive dont le signifié s'est perdu. Il ne reste plus qu'à la consigner à la voirie municipale.

Les djobeurs de *Chronique des sept misères* sont par définition masculins, mais ils appartiennent à un milieu - le marché - où, comme Chamoiseau le dit ailleurs, l'homme n'est qu'un épiphénomène et où c'est la débrouillardise féminine qui règne en maîtresse. Les techniques de survie que déploient les femmes sont encore plus riches d'invention que celles des hommes, d'autant plus qu'elles sont pour la plupart sans partenaire et responsables seules de l'entretien de leurs enfants. Ici, surtout, il faut multiplier les tactiques : le matin, son bébé balancé sur sa hanche, Man Elo vend des sandwiches au milieu pour s'en aller le soir nettoyer chez un commerçant libanais (41); Ninon fabrique et vend des balais (30); Amedée Balthazar est marchande de pistaches avant de devenir couturière se spécialisant dans les robes de veuve qu'elle confectionne sur une Singer que lui a obtenue un petit ami travaillant dans les douanes (70); Man Goul est marchande de frites (78); Anastase fait des sucreries qu'elle vend aux enfants de l'école Perrinon durant la recréation (99), et ainsi de suite. La carrière de Clarine est encore plus diversifiée : elle est successivement ou simultanément vachère, charbonnière, nettoyeuse de maison, balayeuse de rues et marchande de cannes à sucre qu'elle achète à une vieille Lamentinaise qui a un lopin de terre derrière sa case; vers octobre, on la voit 'dans le cimentière des riches, nettoyant les pétales poussiéreux des fleurs artificielles, en prévision des hommages de la Toussaint' (62). Avec la pacotilleuse Elmire la débrouillardise féminine se caribéanise : d'Haïti en Trinidad, en passant par la Guadeloupe, la Grenade et la Barbade, elle achète des marchandises qu'elle revend au marché de Fort-de-France, de sorte que les femmes de marché sont les mailles d'un vaste réseau d'échanges qui relie 'les usines, les entrepôts, les campagnes et les bordures de mer, au centre de la ville'. Et, plus adaptables que les djobeurs, elles ne sont pas détruites par l'évolution des circonstances économiques et sociales. Man Paville ouvre une boutique d'effets mortuaires (48); désachalandée par un entrepreneur de pompes funèbres style français, elle survit en vendant des cornets de poivre qu'elle moud elle-même et qu'elle transporte chaque matin au marché dans un sachet de Prisunic (172-4). Comme va le confirmer l'exemple, encore plus éclatant, de Marie-Sophie Laborieux dans *Texaco*, il n'y rien comme la détermination et la capacité d'improvisation des femmes antillaises : ce sont elles, plutôt que les djobeurs, qui représentent ce qu'il y a de vraiment *solide* dans la contre-culture créole.

Un site oppositionnel important dans *Chronique des sept misères* et, encore plus, dans *Solibo Magnifique* est celui du nom des personnages, ou plutôt du décalage qu'il y a entre celui-ci et le surnom, car presque tous les hommes dans les deux romans, et une proportion élevée des femmes, portent ce qu'un inspecteur de police appelle un 'nom des mornes' qui non seulement s'ajoute mais s'oppose à leur 'nom de la mairie' ou 'nom de la Sécurité Sociale' (S 98). Pour souligner la tension ou la fissure entre nom et surnom, Chamoiseau emploie les verbes français 'nommer' ou 'appeler' pour désigner le premier et le verbe créole 'crier' pour le second, ainsi 'un nommé Raffine Albert crié Grippe-Frissons' (S 155, voir aussi 82, 92, 133). Cette pratique du nom double (ou encore triple), et de la multiplication d'identités qu'elle permet, remonte, comme tout ce qu'il y a de plus profond dans la culture créole, à l'esclavage : 'Quand le maître te nommait Jupiter, nous t'appelions Torticolis ou Gros-Bonda. Quand le maître disait Télémaque, Soleil ou Mercure, nous disions Sirop, Afoukal, Pipi ou Tikilik. Est-ce que cela s'est perdu ?' (C 152) Encore une fois la réponse est, bien sûr, négative : ce que Chamoiseau (alias Oiseau-de-Cham ou Ti-Cham) appelle 'l'art créole du petit-nom' (A 28) est une tactique oppositionnelle propre non seulement à dérouter l'ordre dominant mais encore à ouvrir aux dominés des failles dans la grille du pouvoir où ils peuvent se faufiler et s'enfuir. Mais la liberté que confère le petit-nom est, comme toute liberté d'origine oppositionnelle, forcément ambivalente dans la mesure où, si elle libère d'une fausse identité

(Jupiter), ce n'est que pour enfermer dans une autre (Gros-Bonda, Pipi) tout aussi humiliante pour son porteur. Mais là aussi il est possible de manoeuvrer encore et de transformer déchéance en triomphe grâce à un jeu subtil de significations, témoin le surnom Solibo lui-même. Le nom 'réel' de Solibo, ignoré de tout un chacun et que lui-même a presque oublié, est Prosper Bajole, et il a reçu son petit-nom - voulant dire 'chute', selon le roman - parce qu'à une époque il était tombé si bas qu'aucune échelle, disait-on, ne pourrait le ramener à la vie. Mais 'solibo' a d'autres sens en créole que Chamoiseau choisit de ne pas révéler à son public francophone, mais qui seraient tout à fait évidents pour ses lecteurs locaux. 'Fè an solibo' (faire un solibo) veut dire bien 'se cassez le nez', mais, en langage de laghia, 'pwan an solibo' (prendre un solibo) se dit de la phase initiale du combat, alors que 'bay un solibo' (donner un solibo) en désigne la séquence finale.[4] Autrement dit, Solibo remonte de sa chute en luttant et, grâce à sa maîtrise de cette arme miraculeuse qu'est la Parole, arrive à transformer sa misère en splendeur, d'où l'adjectif dont on gratifie son surnom : Solibo *Magnifique*, *felix culpa*, servitude et grandeur. Mais il y a une dernière entorse car, comme tout lecteur du roman le sait, Solibo finira par tomber 'pour de bon', terrassé, comme au laghia, par un coup mystérieux, étranglé en plein conte par la Parole qui constituait sa gloire. Par une dernière ironie la force du faible se retourne contre celui-ci pour en faire sa victime suprême.

---

4   Pour une discussion des différents sens du mot *solibo*, voir Bernabé 1988 : 37-8.

Comme cet exemple l'indique, les romans de Chamoiseau renferment des significations hermétiques que seul le lecteur créolophone est à même de saisir. Tout comme, à l'époque esclavagiste, le conteur proférait sa parole dans un contexte défini, sans être tout à fait dominé, par le pouvoir du maître, de même le marqueur de paroles écrit dans une société que régissent de plus en plus les valeurs, les mentalités at surtout la langue de l'Autre (de cet Autre qui, grâce à l'assimilation, est devenu le Même), contexte dans lequel les possibilités d'une opposition se font de plus en plus rares, sans pour autant disparaître tout à fait. Pour le conteur, parler en créole ne suffisait pas pour déguiser le sens subversif de sa parole, car le personnel blanc de l'habitation était lui-même créolophone, d'où l'obligation pour le conteur de pratiquer ce que Chamoiseau appelle une 'alchimie de la résistance détournée' en ayant recours à l'ironie, à la fable, à une indirection du discours. Pour le marqueur de paroles contemporain, la situation est assez différente, à cause de la transformation du rapport entre le créole et le français. Alors que beaucoup de nationalistes antillais considèrent le créole comme une langue de résistance (dans le sens que de Certeau donne à ce terme), il importe de souligner que dans son lieu de formation - l'habitation - il avait plutôt le sens d'un instrument de contrôle, employé par les Blancs pour transmettre leurs ordres aux esclaves et par ceux-ci pour se communiquer entre eux; sous l'esclavage, les seules langues de résistance étaient celles, africaines, que parlaient les nègres bossales, d'où la détermination des Blancs de les supprimer en mélangeant les différentes ethnies. Mais avec l'abolition de l'esclavage en 1848 et avec la mise en valeur, à partir de 1880, du français par l'école républicaine, la situation du créole a subi une mutation fondamentale. S'il n'était toujours pas *stricto sensu* une langue de résistance (à cause de sa promiscuité avec le français), il avait certes un potentiel oppositionnel que pourtant peu d'écrivains antillais, avant 1970, ont choisi d'exploiter. Ou, comme le dit Chamoiseau de son enfance dominée, malgré tout, par le culte du français, 'il y avait un marronnage dans la langue', une 'aptitude', inhérente dans le statut honni du créole, 'à contester (en deux trois mots, une onomatopée, un bruit de succion, douze rafales sur la manman et les organes génitaux) l'ordre français régnant dans la parole'. Grâce à la langue créole, 'on existait rageusement, agressivement, de manière iconoclaste et détournée' sur la marges 'où les convenances du parler perdaient pied dans les mangroves du sentiment' (A 56). Marronnage, mangroves : les deux images-clé de la littérature et de la pensée martiniquaises de nos jours, que l'on ne s'étonnera plus de voir si étroitement associées l'une à l'autre. Mais, dans sa complexité, la situation linguistique à la Martinique est elle-même une mangrove, ou plutôt un 'écosystème' de mangroves interconnectées, et c'est dans celles-ci, en jouant à la fois sur ce qui les oppose et ce qui les relie, que le romancier marron va puiser l'écriture essentiellement *détournée* qui sera le sienne.

A l'encontre de Raphaël Confiant, Patrick Chamoiseau n'a jamais publié de roman écrit en créole. Il a, d'entrée en jeu, choisi d'employer une écriture interlope, plus proche, assurément, du français standard que du créole basilectal, qui exploite à fond la richesse incomparable de 'l'écosystème linguistique caribéen' en utilisant 'les quatre facettes de notre diglossie : le basilecte et l'acrolecte créole, le basilecte et l'acrolecte français' pour investir cet 'espace interlectal' qui serait 'notre plus exacte réalité sociolinguistique' (S 44). Ecrire en français standard, dans la Martinique contemporaine, c'est employer le langage du complexe assimilationniste, qui correspondrait, *mutatis mutandis*, au complexe habitationnaire d'antan. Ecrire en créole basilectal, c'est tenter plutôt l'équivalent linguistique de la grande marronne avec la promesse et les dangers qu'elle comporte : promesse d'une liberté (peut-être illusoire) par rapport à la plaine, mais au risque de s'enfermer dans les mornes d'un intégrisme linguistique solitaire. L'option de Chamoiseau est celle du djobeur, du débrouillard, du petit marron : d'habiter et d'exploiter l'espace interlectal qui s'est ouvert *entre* la plaine et les mornes ou, pour varier la métaphore, de manier sa brouette stylistique de-ci de-là entre les différentes glossies qui se parlent à la Martinique et, en jouant sur leurs convergences et divergences, d'en faire un réseau communicatif d'une intensité et d'une complexité sans égal. Accueillant chacune des 'facettes' de la diglossie martiniquaise, Chamoiseau se plaît à les jouer les unes contre les autres et, des étincelles nées de leur friction, 'éclabousser', pour employer un des mots-clé de son lexique, l'ordre des valeurs dominantes : toute oeuvre d'art, dit-il, doit 'explorer des zones en friche, opérer des alliages interdits, des mélanges inattendus ou illicites, bref exacerber l'expression' (1988-9 : 24).

La liberté qui résulte de ce jeu de discours est celle, profondément ambivalente et tout à fait relative, du djobeur qui drive à l'intérieur du système ou du petit marron qui, sans rompre avec la plantation et sans y porter atteinte, survit dans les failles qui traversent l'ordre dominant. Liberté de savane, enfin, et nullement 'révolutionnaire', bien que porteuse de valeurs qui, en des circonstances à présent imprévisibles, pourraient contribuer à la naissance d'un esprit contestataire capable de passer de l'opposition à la résistance. Comme le djobeur, le marqueur de paroles est avant tout, et même exclusivement, un individualiste, encore que ses subterfuges puissent contribuer à la cohésion des démunis en leur montrant comment il est possible de faire du système même le site d'une liberté ludique ambiguë. Ce qui n'empêche pas que le jeu du marqueur-djobeur ne soit toujours sur le point d'être récupéré par le système auquel il s'oppose, de succomber, comme tant d'autres revendications de la différence aux Antilles, à cet ennemi permanent du Divers créole que sont le Même et l'Universel (tels que les définit la France). L'art de Chamoiseau, tout comme celui du conteur créole, ne change rien au réel, sauf peut-être la conscience qu'en ont ses lecteurs, et peut même le renforcer dans la mesure où il le rend plus vivable... Pour vivace et jovial qu'il soit, c'est un art d'un sérieux profond, né d'une appréciation réaliste, voire pessimiste, des possibilités de contestation dans une Martinique assimilée, départementalisée, régionalisée et enfin européanisée. A mesure que le processus de bétonisation mord de plus en plus sur les mangroves et les mornes, c'est bien dans les failles et les fissures qu'il laisse à sa suite - par une heureuse coïncidence, le mot marronnage peut signifier aussi les lézardes dans une route - que le marqueur de paroles doit mener désormais son jeu d'opposition retorse :

Aller tout droit n'était pas le meilleur moyen d'arriver aux endroits, et si les Tracées tournoyaient dans les bois, il fallait savoir tournoyer avec elles: était perdu l'emprunteur des routes droites que les békés-usiniers avaient déroulées pour eux-mêmes à travers le pays. Y marcher c'était les servir eux. Il fallait prendre les Tracées, gribouiller leur ordre d'une déraison marronne. (A 109-10)

CHAPITRE V

ESPACE URBAIN ET CRÉOLITÉ DANS *TEXACO* DE PATRICK CHAMOISEAU

Tout comme ses devanciers, mais à une échelle bien autrement ambitieuse, *Texaco* (1992)[1] entreprend la défensc ct illustration de ce qu'il est désormais convenu d'appeler la Créolité, soit ce construit culturel complexe, ni 'européen' ni 'africain', mais une synthèse dynamique des deux saisie de son identité propre, qui, sortie de l'expérience esclavagiste, s'est vue enrichie par de nouveaux éléments - indiens, chinois, syro-libanais - au cours du dix-neuvième siècle, a atteint son apogée entre 1870 et 1940, et qui, depuis la départementalisation de 1946 et, surtout, depuis les transformations économiques et sociales radicales survenues à la Martinique pendant les années 1960 et 1970, a été sujette à une décréolisation massive face aux multiples pressions de l'assimilation politique, économique, culturelle et linguistique provenant de la France métropolitaine. Ce fut cette désagrégation de la synthèse créole à la Martinique contemporaine que Patrick Chamoiseau avait étudiée dans ses deux premiers romans, à partir, respectivement, de la dégradation du marché central à Fort-de-France dans *Chronique des sept misères* et de l'extinction du conteur créole et de son art dans *Solibo Magnifique*. Poursuivant ce travail de reconstitution et d'analyse d'une culture en plein dépérissement, *Texaco* se déroule sur un canevas géographique et historique qu'on peut bien qualifier de panoramique et, à partir des transformations de l'habitat populaire depuis la fondation de la colonie

---

1   Une première version de l'argument de ce chapitre a paru sous le titre de 'Lettre ouverte à Patrick Chamoiseau à propos de *Texaco*' dans *Karybel Magazine*, 3, novembre-décembre 1992, pp.14-16.

française jusqu'au présent, retrace plus de trois cent années d'histoire oppositionnelle à la Martinique, non pas 'l'Histoire des gouverneurs, des impératrices, des békés, et finalement des mulâtres' (T 136) mais bien 'nos mille cent histoires' (66) qui, très rhizomatiquement, se tortillent sous l'Histoire une de la colonie-département : 'Toi tu dis l'Histoire, moi je dis *les histoires*. Celle que tu crois tige-maîtresse de notre manioc n'est qu'une tige parmi charge d'autres...' (102). Une chronologie placée en exorde au roman divise cette contre-histoire en une suite de phases dénommées d'après le principal matériau de construction en usage à l'époque : un 'temps de carbet et d'ajoupas' lors de la première implantation française (1635-80) quand les influences caraïbes gardaient toujours leur force; un 'temps de paille' pendant lequel les cases populaires étaient couvertes de paille de cannes à sucre, s'étendant de l'apogée de la société esclavagiste, à travers l'abolition de 1848 et les importants mouvements démographiques qu'elle a déclenchés, jusqu'à la destruction de Saint-Pierre en 1902; un 'temps de bois-caisse' mis en branle par l'afflux humain à la nouvelle capitale Fort-de-France après 1902 et s'étendant jusqu'à la départementalisation de 1946; un 'temps de fibrociment' de 1946 jusqu'à la crise de l'économie sucrière du début des années 1960, et finalement, symbole et moyen de l'homogénéisation progressive du vécu martiniquais depuis trente ans, un 'temps-béton' qui, selon Chamoiseau, a commencé aux alentours de 1964 et qui, surtout dans le sud de la Martinique, menace le paysage et les éco-systèmes tant naturels qu'humains qu'il soutient d'une 'durcification' définitive sous la forme d''achèlèmes', de

181

grandes surfaces, de marinas, de résidences secondaires et de complexes hôteliers. Dans cette perspective, la grandeur et décadence de Texaco - le quartier populaire à Fort-de-France, maintenant officiellement rebaptisé Anse-Bellevue, qui donne son nom au roman de Chamoiseau - résument en microcosme celles de la créolité comme système culturel total. Coincé sur un étroit site riverain jadis occupé par les dépôts de carburant de Texaco, un domaine interstitiel plutôt que marginal situé de façon bizarre mais évocatrice entre le Lycée Schoelcher et le Lycée de Jeunes Filles, le quartier incarne le génie créole de la débrouillardise, et sa transformation de bidonville en enclave créole vibrante au cours des années 1950 et 1960, en attendant sa 'bétonisation' aux mains des autorités municipales à partir de la fin des années 1970, inscrit en miniature tout le processus de formation et de déformation du complexe créole. Figurant à la fois la confrontation entre créolité et francité et l'interdépendance qui les relie, la relation entre Texaco et l'En-ville - soit le centre de Fort-de-France - constitue le noeud thématique du roman et en fait une exploration beaucoup plus *systématique* du réel martiniquais que ne l'étaient *Chronique des sept misères* et *Solibo Magnifique*, au prix, pourtant, d'une perte de la spontanéité et de l'énergie qui caractérisaient surtout le premier des romans foyalais de Chamoiseau.

La vision de l'histoire et de l'espace martiniquais que déploie *Texaco* part, il va presque sans dire, de l'opposition 'classique' entre mornes et plaine que nous avons déjà analysée dans l'oeuvre d'Edouard Glissant. Mais, plus encore que Glissant, Chamoiseau cherche à complexifier ce binarisme et surtout à déconstruire l'équation simpliste qui ferait des mornes le domaine de la résistance et de la liberté et de la plaine celui de la servitude, du compromis et de l'assimilation, en introduisant un troisième terme - la ville - qui, comme nous l'avons vu, est plus ou moins systématiquement radié de l'oeuvre de Glissant. Ce faisant, Chamoiseau en vient à recentrer sur la plaine l'essentiel de l'histoire - ou plutôt des histoires - martiniquaise(s) que Glissant avait déplacé vers les mornes, mais cela au prix, comme nous allons le voir, de créer une nouvelle opposition binaire entre créolité et francité - soit entre Texaco et l'En-ville - qu'il sera nécessaire de déconstruire, ou tout au moins de qualifier, à son tour. En rendant à la plaine la part qui lui appartient dans l'élaboration de l'histoire martiniquaise, Chamoiseau est amené à qualifier celle que tout un discours local se plaît toujours à attribuer aux très hypothétiques nègres marrons qui auraient peuplé les mornes. Sans contester le courage opiniâtre de ceux-ci, Chamoiseau suggère qu'en fuyant l'habitation, ils ont retrouvé moins une 'liberté libre', et encore moins une Afrique de substitution, qu'une espèce de vide où, renfermés sur eux-mêmes sans pour autant échapper aux influences de la plaine, ils sont restés 'en marge du mouvement général' (107), 'demeurés en esprit dans le pays d'avant' (142), en grande partie extérieurs aux processus de créolisation qui se poursuivent sur la plaine.[2] Si le nègre marron reste le poteau-mitan d'un

2   Ainsi, dans une interview dans *Le Point* (1055, 5 décembre 1992, 54), Chamoiseau a prétendu que 'le Héros de Césaire, c'est le nègre marron. Pourtant, celui-ci ne pouvait aller bien loin... Sa fuite le menait à une impasse.' Voir aussi 'Les Nègres marrons de l'En-ville' (*Antilla* 473, 21 février 1992, 29) où Chamoiseau soutient que les marrons 'ne parvenaient pas à

certain discours identitaire à la Martinique et ailleurs, il est clair que pour Chamoiseau (comme d'ailleurs pour Confiant) les architectes de la créolité sont ces esclaves qui sont restés sur l'habitation et qui, dans le domaine même du pouvoir blanc, ont pratiqué ce que *Lettres créoles* appelle 'les minuties d'une résistance détournée' (Chamoiseau et Confiant 1991 : 39) - autrement dit, l'opposition selon la définition de de Certeau - en manipulant et en retournant contre lui-même le système esclavagiste, et, maîtres en herbe de l'art créole de la débrouillardise, en se créant des marges de liberté ambivalente dans les failles et les fissures de l'ordre dominant. Physiquement, l'habitation traditionnelle était caractérisée à la fois par la distance qui séparait Grand-case et cases-nègres et par la proximité qui pourtant les reliait, relation paradoxale que reproduira plus tard celle de l'En-ville - apparentée à plusieurs reprises à l'ancienne Grand-case des maîtres (55, 94, 344) - et Texaco. Maîtres et esclaves sont à la fois unis et divisés, unis par ce qui les divise et divisés par ce qui les unit, et c'est du va-et-vient complexe de cette relation que naîtra cette culture de ruse et de paradoxe qu'est la créolité. Dès le commencement, donc, la créolité se construit dans et contre 'le système', en appropriant ce que celui-ci offre à ses victimes pour le retourner contre lui. Sur l'habitation, ainsi que, beaucoup plus tard, à Fort-de-France, il va s'agir d'investir les interstices' (258), de s'opposer aux lignes droites du système - concrétisé par le

---

prolonger en liberté les tracées de leur fuite' et 'montaient et descendaient, selon les allées-virées incompréhensibles de la Drive'.

quadrillage des rues dans l'En-ville - grâce à la contre-logique de la courbe, ou, pour varier l'image, de contourner les routes coloniales en obliquant par les traces (148). 'Pense aux courbes', écrit Marie-Sophie Laborieux (138), 'ancêtre fondatrice' (35) de Texaco et narratrice principale du roman : la créolité sera curviligne ou ne sera pas. Si la signification contestataire du grand marronnage - soit le marronnage vers l'extérieur' - est ainsi remise en question dans *Texaco*, une place de choix y est pourtant réservée à ce qu'on peut appeler le marronnage intérieur, qu'il s'agisse de 'nègres en marronnage au mitan même des bitations' (63), de libres de savane dotés d'une liberté de fait sinon de droit ou de ceux et de celles qui, 'affranchis d'une manière ou d'une autre, légale ou pas légale' (77), se sont faufilés, en plein esclavage, dans les interstices urbains de Saint-Pierre où les 'talentueux' se débrouillent 'sans un trop de problèmes' comme charpentiers, serruriers ou cabrouettiers ou comme 'cuisinières, lavandières, lingères, marchandes d'et-caetera', et où même les plus démunis parviennent à survivre grâce à des djobs ou à 'une pêche côtière marronne' que bientôt ils transforment en métier permanent. *Mais être 'libre' c'est quoi-est-ce ?* se demande Marie-Sophie en soulignant qu'entre les liberteux d'En-ville et les grands nègres marrons, rien n'était même pareil, sauf peut-être une manière d'être en liberté sans avoir choisi le sens vrai du chemin, son nord ou bien son sud' (80-1). Liberté donc incomplète et ambivalente que celle des affranchis légaux et autres, comme le sera, plus tard, celle de ces nègres marrons de l'En-ville que seront les driveurs : 'Qui marronne en mornes, marronne dans l'En-ville.

Qui marronne dans l'En-ville marronne dans la Drive'
(321, voir aussi 394, 422).

* * * * * * * * *

'Liberté ne se donne pas, ne doit pas se donner.
La liberté donnée ne libère pas ton âme...' (97).
A la suite de la 'libération' de 1848 - événement équivoque
entre tous dans la mesure où la liberté y était à la fois
'donnée' (et puis escamotée) par la France (le 26 avril)
et saisie (et puis perdue) par les esclaves eux-mêmes
(le 22 mai) - les parents de Marie-Sophie, Esternome
et Idoménée, se décident, à l'instar de dizaines de
milliers d'anciens esclaves, à quitter la plaine pour les
mornes et, en montant chaque jour plus haut, à y
'bâtir le pays (pas le pays mulâtre, pas le pays béké,
pas le pays kouli, pas le pays kongo : le pays des nèg-
terre)' (144), à créer ce que Chamoiseau appelle 'le
noutéka des mornes', 'une sorte de *nous* magique'
(139), entièrement en dehors et au-dessus de la
géhenne plantationnaire en bas. Pour un temps il
semble tout à fait possible que les gens des mornes
arriveront à créer 'la famille liberté' (148) fondée sur
l'éthique et la pratique du coup de main. Pourtant les
pressions et les attractions de la plaine finissent par
l'emporter sur la volonté de retranchement intégral
quand, à la suite de 1870, les gens des mornes sont
aspirés bon gré mal gré par le nouveau complexe
usinier ou séduits par l'appât de l'école française :
'Ainsi, d'année en année, les Traces marronnes se
mirent à descendre vers l'Usine.' (157) Lorsque,
reconnaissant bien malgré eux que 'le noutéka des
mornes avait comme avorté', Esternome et Idoménée
redescendent à la plaine, ils ne reviennent pas
pourtant bredouilles. Ce que Chamoiseau, par

l'intermédiaire de sa narratrice, appelle 'l'illusion des noutéka des mornes' (187) représente une phase cruciale dans l'élaboration de la créolité. 'Notre Texaco bourgeonnait dans tout ça', dit Marie-Sophie des jardins et des quartiers que ses antécédents s'étaient taillés dans les mornes, car Texaco sera, en intention et, pour un temps, en réalité, une réplique des mornes sur les marges de l'En-ville : 'il fallait face à l'En-ville organiser un vrai Quartier des mornes' (301), 'Quand nous vînmes, nous amenâmes la campagne. [..] Et nous voulûmes, face à l'En-ville, vivre dans l'esprit des Mornes, c'est dire : avec notre seule ressource, et mieux : notre seul savoir' (348).

Ainsi commence ce que Marie-Sophie appelle 'notre conquête de l'En-ville' (38), et ce sont les tresses d'histoires - trop obliques, trop disparates, trop entortillées, en un mot trop *créoles* pour être résumées ici - de cet investissement de l'espace urbain qui s'entrelacent pour former l'immense tapisserie de la vie martiniquaise qu'est *Texaco*. Après la destruction de Saint-Pierre, des milliers de Martiniquais fuient le nord désemparé de l'île pour affluer à Fort-de-France où, sur les marges de ce qui, à l'époque, était surtout une 'ville à soldats, raide au centre d'une mangrove' (180), ils créent les premiers d'entre une multitude de quartiers de misérables dont la naissance, la consolidation et, finalement, l'incorporation progressive par l'En-ville rythment les temps successifs de bois-caisse, de fibrociment et de béton : 'Trénelle, Volga-Plage, Morne Morissot, Terrain Marie-Agnès, Terrain Populo, Coco l'Echelle, Canal Alaric, Morne Pichevin, Renéville, Pavé, Pont-de-Chaînes, Le Béro, L'Ermitage, Cour-Campêche, Bon-Air, Texaco.... maçonneries de survie, espace créole de solidarités neuves' (352). Ce qui commande à la construction de ces 'délirantes mosaïques' (367)[3] que sont les quartiers populaires, ce sont, bien sûr, les principes créoles trois fois séculaires de la débrouillardise et de l'entraide : 'Quartier créole c'est gens qui s'entendent. De l'un à l'autre, une main lave l'autre, avec deux ongles, l'on écrase la puce. C'est *l'entraide* qui mène. Un Quartier même s'écrie comme ça.' (150) Ainsi le prédécesseur immédiat de Texaco, Morne-Abélard, repose sur 'une subtile touffaille d'équilibres entre les gens' (293), les cases se liant les unes aux autres pour former 'une toile de matoutou-falaise dans laquelle nous vivions comme des grappes. Avant même la communauté des gens, il y avait celle des cases portées l'une par l'autre, nouées l'une par l'autre à la terre descendante, chacune tirant son équilibre de l'autre selon des lois montées du Noutéka de mon pauvre Esternome. Les rêves se touchaient. Les soupirs s'emmêlaient. Les énergies s'entrechoquaient jusqu'au sang. C'était une sorte de brouillon de l'En-ville, mais plus chaud que l'En-ville.' (304-5) Loin d'être renfermés sur eux-mêmes, les différents quartiers périphériques sont liés les uns aux autres par un réseau de réciprocités : 'Nous descendîmes à leurs coups-de-main et ils vinrent aux nôtres. Les vieux-quartiers se rejoignirent en contournant l'En-ville, des familles les lièrent, des échanges les nouèrent.' (348) 'Mangroves urbaines' (289),[4] donc,

---

3   Expression qui rappelle, bien sûr, l'idée d'une 'identité mosaïque' développée dans *Eloge de la Créolité* (Bernabé et al. 1989 : 53).

4   L'idée de 'mangrove urbaine' est développée par 'l'urbaniste' surnommé ironiquement 'Le Christ' dans une des

que ces très rhizomatiques quartiers s'étalant aux franges de l'En-ville, mangroves d'hommes et surtout de femmes dont les éco-systèmes sont tout aussi complexes - et tout aussi fragiles - que ceux des mangroves bien réelles sur lesquelles, souvent, elles s'édifient. Mangroves urbaines qui ne peuvent pas plus se passer de l'En-ville que celui-ci ne peut se passer d'elles, renouvelant ainsi le jeu de violences et de dépendances réciproques qui jadis régissait les relations entre Grand-case et cases-nègres. Mangroves urbaines, enfin, qui, tôt ou tard, sont promises au drainage, à la bétonisation, à la mort progressive...

Face à ces nouvelles cases-nègres que sont les quartiers populaires se dresse 'l'énigme de l'En-ville' (131), dont la logique s'oppose à celle de Texaco comme l'antithèse à la thèse. Si la structure - ou, mieux, l'anti-structure - de Texaco est curviligne, poreuse, alvéolaire, l'En-ville s'impose comme 'un bloc hermétique' (302), tout s'y fondant sur le principe rectiligne inscrit dans le damier de ses rues. Aux solidarités actives de Texaco l'En-ville oppose ce que Marie-Sophie appelle 'cette solitude émiettée, ce repliement sur sa maison, ces chapes de silence sur les douleurs voisines, cette indifférence policée. Tout

---

notes qu'il adresse au 'marqueur de paroles' (le romancier). 'L'urbaniste' est modelé d'après le géographe-urbaniste Serge Letchimy, directeur général de la Société d'Economie Mixte d'Aménagement de Fort-de-France (SEMAFF), dont l'article 'Tradition et créativité : Les Mangroves urbaines de Fort-de-France', paru dans *Carbet*, 2 (1984) est à coup sûr une des sources principales de la vision de *Texaco* (voir T 429). Voir aussi Letchimy 1992 : 47-50.

ce qui faisait les mornes (le coeur, les chairs, les touchers, la solidarité, les cancans, le mélange jaloux dans les affaires des autres), s'estompait en froidures au centre de l'En-ville.' (282) C'est comme si l'En-ville était une 'non-ville' (132), bétonisé dans son coeur comme il l'est de plus en plus dans sa forme, et tout aussi décréolisé qu'une quelconque ville de province française. Non seulement il ignore 'l'ancienne médecine des herbes' (263), mais les conteurs y sont 'morts ou tombés babilleurs' au point que la Parole en est absente, s'il est vrai que 'la Parole n'est pas parler' (324) mais quelque chose d'autre et d'infiniment plus haut. Situation que l'urbaniste résume ainsi dans une des notes innombrables qu'il adresse au marqueur de paroles :

> Au centre, une logique urbaine occidentale, alignée, ordonnée, forte comme la langue française. De l'autre, le foisonnement ouvert de la langue créole dans la logique de Texaco. Mêlant ces deux langues, rêvant de toutes les langues, la ville créole parle en secret un langage neuf et ne craint plus Babel. Ici la trame géométrique d'une grammaire urbaine bien apprise, dominatrice; par-là, la couronne d'une culture-mosaïque à dévoiler, prise dans les hiéroglyphes du béton, du bois de caisses et du fibrociment. La ville créole restitue à l'urbaniste qui voudrait l'oublier les souches d'une identité neuve : multilingue, multiraciale, multi-historique, ouverte, sensible à la diversité du monde. Tout a changé. (242-3)

Dernière opposition : dans la 'guerre bien ancienne' (19) entre Texaco et l'En-ville, celui-là a pour leader une femme dont le nom connote la maternité (Marie), la sagesse (Sophie) et le travail infatigable (Laborieux), celui-ci un homme, 'papa-Césaire' (389), qui, sous ses dehors de militant anti-colonialiste, respire le paternalisme et l'impérialisme de paroisse. Entre les mangroves urbaines et la 'mairie moderniste' avec sa volonté de 'rationaliser son espace' (37) et de tout soumettre à la puissance du 'dieu-béton' (391) la distance est telle que, par-delà les interdépendances qui les relient, le fond de leur relation, comme de celle de la Grand-case et des cases-nègres qu'elles renouvellent, ne peut être que violence : 'L'urbain est une violence. La ville s'étale de violence en violence. Ses équilibres sont des violences. Dans la ville créole, la violence frappe plus qu'ailleurs. [..] Le Quartier Texaco naît de la violence. Alors pourquoi s'étonner de ses cicatrices et de sa face de guerre ?' (166-7)

On le voit, ce qui commence dans *Texaco* comme une opposition entre deux systèmes urbains se transforme progressivement en une lutte entre deux séries de principes aussi hostiles les uns aux autres que ces deux 'adversaires éternels', Eros et Thanatos, l'Amour et la Mort. Lutte à la fois culturelle, linguistique, économique, écologique, politique et en fin de compte tout aussi métaphysique que physique dont les principaux termes binaires peuvent se formuler ainsi :

191

EN-VILLE	TEXACO
plaine	mornes
bitation, usine	jardin créole
Grande-Case	cases-nègres
rue, route coloniale	Traces
centre	périphérie
ordre	désordre
ligne droite	ligne courbe
"masculin"	"féminin"
patrifocalité	matrifocalité
"Papa" Césaire	Marie-Sophie Laborieux
solitude	solidarité, entraide
"froidure"	chaleur
Histoire	histoires
écriture	Parole
écrivain	conteur
français	créole
Francité	Créolité
le Même	le Divers
universalité	diversalité

Chaque terme de l'opposition est à la fois antithétique à son partenaire et dépendant de lui : sans Histoire, pas d'histoires, sans le français, pas de créole, ou, pour renverser les termes, sans cases-nègres, pas de Grand-case, et ainsi de suite. A un niveau plus pratique, Texaco dépend économiquement de l'En-ville auquel il s'oppose (djobs, allocations familiales), tout comme, selon l'urbaniste, l'En-ville mourrait de sclérose sans ses mangroves urbaines : 'Il lui faut de chaos de ses franges. C'est la beauté riche de l'horreur, l'ordre nanti du désordre. C'est la beauté palpitant dans l'horreur et l'ordre secret en plein coeur du désordre. Texaco est le désordre de Fort-de-France; pense : la poésie de son Ordre.' (203-4) Qu'on ne pense pas pourtant qu'une complémentarité, et encore moins une harmonie, quelconques puissent exister entre l'En-ville et ses franges. Si équilibre il y a, il repose moins sur une réciprocité que sur un jeu complexe de violences et de contre-violences qui fait que chaque jour Marie-Sophie doit 'se battre contre l'En-ville avec la rage d'une guerrière' (298) pour défendre '[son] oeuvre, notre quartier, notre champ de bataille et de résistance' (36) et que l'En-ville, pour sa part, n'a de cesse qu'il n'ait resserré, en les bétonisant, les quartiers dans ses nasses (191). Solidaires et antagoniques, l'En-ville et Texaco ne peuvent pas plus coexister en paix que ne le pouvaient, jadis, Grand-case et cases-nègres.

* * * * * * * *

Voilà, en leurs grandes lignes, les principales thèses que *Texaco* développe concernant le rapport entre le centre de Fort-de-France et sa périphérie, thèses que nous avons jusqu'ici exposées sans commentaire mais qu'il faut maintenant évaluer en en examinant les sources et en les confrontant, à nos risques et périls, à ce qu'un observateur étranger peut connaître de l'agencement de l'espace urbain foyalais et de la gamme des cultures qui s'y déploient. En ce qui concerne les sources, outre la source des sources qu'est l'oeuvre de Glissant, la plupart des thèses qu'énonce *Texaco* se retrouvent dans deux articles parus dans *Carbet* au milieu des années 1980 : celui, déjà mentionné (voir note 4), de Serge Letchimy, 'modèle' de l'urbaniste du roman, sur les 'mangroves

193

urbaines', et l'étude de Max Tanic ('Modes d'habiter dans un quartier populaire de Fort-de-France : l'expérience Texaco'), qui, entre autres idées, élabore la thèse d'une 'violence fondatrice' à l'origine de Texaco (Tanic 1985 : 51, 54) et qui, surtout, emprunte à la créolistique (et spécifiquement à l'oeuvre de Jean Bernabé) le concept d'une relation 'diglossique' régissant non seulement les rapports entre Fort-de-France et ses quartiers périphériques mais encore les rapports entre les différents codes (linguistiques, culturels, économiques, voire architecturaux) en opération dans ces quartiers eux-mêmes (Tanic 1985 : 59-62).[5] C'est vraisemblablement *une version* de la thèse diglossique - soit l'idée d'une 'séparation nette de deux codes renvoyant à une division sociale nette'[6] - qui commande aux binarismes Texaco/En-ville que nous avons répertoriés plus haut, et qui crée entre les deux 'codes' ou 'systèmes' urbains une bipolarité tout aussi simpliste que celle qui confronterait comme deux domaines totalement étanches et opposés les mornes et la plaine. En appliquant à l'urbanisme un

---

[5]   L'idée d'une 'diglossie urbaine' a été développée dans Letchimy 1992 : 38. On lira avec intérêt les études de Volga-Plage par Serge Domi et Gustavo Torres publiées par la Région Martinique en 1991 qui toutes deux considèrent Volga-Plage comme 'une ville autre', une 'ville dans la ville' (Domi 1991 : 13), dont la logique culturelle serait qualitativement différente de celle du centre-ville. Voir aussi l'intéressant article de William Rolle, 'Gens des mornes, gens des villes', *Autrement*, 41 (1989), 133-6.

[6]   Formule de Lambert-Félix Prudent, citée dans Tanic 1985 : 54.

des concepts-clé de la linguistique créole,[7] Chamoiseau est amené à postuler une 'déviance maximale'[8] entre Texaco et l'En-ville qui, tout comme le créole et le français (et, plus largement, la créolité et la francité), s'affronteraient comme deux systèmes hétérogènes dont les rapports ne sauraient être que conflictuels. Modèle dualiste de la relation entre centre et périphérie (la France et la Martinique tout autant que l'En-ville et ses quartiers) qui aboutit logiquement, politique urbaine, glottopolitique et politique tout court s'imbriquant les unes dans les autres, à la revendication, pour la Martinique, de l'indépendance intégrale.

Il y a pourtant une autre façon de concevoir la relation entre le créole et le français à la Martinique, laquelle, appliquée aux structures et aux cultures urbaines, produit une vision sensiblement différente du rapport entre l'En-ville et Texaco et, corrélativement, du rapport France-Martinique.[9] Alors que la théorie diglossique souligne la distance qu'il y

---

[7]   Pour une première application de la linguistique créole à l'étude de l'architecture antillaise, voir le préface de Juliette Sainton à Berthelot et Gaumé 1982 : 10-11.

[8]   L'expression 'déviance maximale' est de Jean Bernabé et se rapporte au désir du Groupe d'Etudes et de Recherches de la Créolophonie (GEREC) dont il avait charge d'accentuer la différence entre le créole et le français en adoptant pour le premier une orthographe phonétique et non pas étymologique. Pour une discussion, voir Prudent 1989 et Hazaël-Massieux 1993.

[9]   Pour une discussion du 'continuum model' et son applicabilité aux Antilles françaises, voir Prudent 1980 : 104-7.

aurait entre acrolecte (français) et basilecte (créole) au point d'en faire deux systèmes par définition antithétiques, la théorie rivale postule l'existence d'un continuum linguistique où l'opposition acrolecte-basilecte s'estompe grâce à l'émergence, surtout depuis 1946, d'une multitude de formes linguistiques interlectales, à tel point qu'il devient difficile, voire impossible, sinon de distinguer entre le français et le créole, au moins de postuler une relation nécessairement antagonique entre eux. Bref, il y aurait, à la Martinique, moins une juxtaposition qu'un enchevêtrement de codes linguistiques, tout comme la culture martiniquaise, pour reprendre la formule, déjà citée, d'André Lucrèce (1994 : 15), serait duelle et non pas duale, la francité et la créolité s'immisçant à tout moment l'une dans l'autre pour former un tout non certes exempt de conflit mais uni dans sa pluri-dimensionnalité même. Le corollaire politique du 'continuum model' de la société martiniquaise n'a guère besoin d'être explicité : non pas l'indépendance à la Bernabé-Chamoiseau mais bien l'autonomisme-régionalisme à la 'papa-Césaire', tant il est vrai qu'à la Martinique linguistique et politique sont toujours inséparables l'une de l'autre...

Il ne nous appartient pas, bien entendu, de trancher entre les deux modèles rivaux que proposent les linguistes créoles et encore moins entre les différentes options politiques qu'ils impliquent. Par contre il convient de souligner en quoi la thèse que propose *Texaco* d'une dichotomie dualiste entre un centre essentiellement et même uniformément 'français' et une périphérie essentiellement et même uniformément 'créole' ne s'accorde ni avec le 'continuum model' ni avec la théorie diglossique ni surtout avec la vision de l'En-ville que proposent d'autres textes de Chamoiseau, dont au premier chef son récit autobiographique *Antan d'enfance* (1990). Selon le 'continuum model' il y aurait, *à l'intérieur de chacun des deux ensembles urbains*, une gamme de codes linguistiques et de formes culturelles emboîtés sans discontinuité aucune les uns dans les autres, alors que le modèle diglossique postule l'existence, *toujours à l'intérieur de chacun des ensembles*, d'une hiérarchie discontinue de codes et de formes culturelles juxtaposés et même opposés les uns aux autres. Certes les doses linguistiques et culturelles ne sont pas les mêmes dans Texaco et l'En-ville - celui-là est, à n'en pas douter, plus 'créole' et celui-ci plus 'français' - mais ce que ni l'un ni l'autre modèle ne saurait admettre, c'est l'idée d'une opposition absolue *entre* Texaco et l'En-ville ; pour chacun, il s'agit de variations à l'intérieur de chaque ensemble, soit d'une *relative similarité* entre les deux. Similarité qui saute aux yeux dès qu'on quitte la vision dualiste de *Texaco* pour l'évocation beaucoup plus nuancée de l'En-ville des années 1950 et 1960 (donc contemporain de l'apogée de Texaco) que Chamoiseau développe dans *Antan d'enfance*. L'En-ville qu'a connu Chamoiseau enfant était incontestable un espace créole et non pas français, ou plutôt un espace mixte où, à chaque moment et à tout pas, créolité et francité s'imbriquaient l'une dans l'autre ainsi que dans ce 'capharnaüm' qu'est l'épicerie créole où oignons-france et oignons-pays, de même que Noilly Prat et rhum agricole, se vendent côte à côte dans une promiscuité totale : 'La place manquant, tout s'entassait sur tout jusqu'à l'indescriptible' (A 129-30). Il en va de même dans les bars où les buveurs de rhum '[tissent] d'inouïes conversations en créole et en français' (128), sur l'ancienne Savane où 'dans un kiosque, un orchestre municipal flonflonnait des musiques civilisées' alors que 'les marchandes de douceurs proposaient les péchés pour la bouche' (145), aux différents marchés de l'En-ville ou dans les boutiques de la rue François-Arago où les Syriens 'jouaient sur plusieurs langues, le créole pour la proximité, le français pour asséner les prix, leur langue d'origine pour simuler une idiotie quand le client avait du coffre' (117) et surtout dans la maison familiale 'située au mitan de la ville' (164) où 'le négrillon' parle le français *et* le créole et où le souci de sa mère qu'il reçoive une bonne éducation française ne s'oppose nullement au plaisir que lui procurent les contes créoles. Pas d'opposition de principe, alors, entre l'En-ville des années 50 et les mornes ('en ces temps, Fort-de-France abritait la campagne' (51)), pas plus qu'entre l'En-ville et ses quartiers périphériques, tous, selon des proportions sans doute inégales, créolophones *et* francophones, matrifocales *et* patrifocales, et ainsi de suite. Bref, si l'on renvoie dos à dos l'En-ville d'*Antan d'enfance* et le Texaco du roman de ce nom, leur appartenance - à coup sûr asymétrique - à une commune culture franco-créole ne saurait, selon nous, sérieusement faire doute.

Ce qui frappe, pourtant, dans *Texaco*, c'est l'occultation presque systématique de tout ce que, de l'aveu même de l'auteur, l'En-ville recelait de créolité jusqu'à date assez récente et que, de toute évidence, il est loin d'avoir perdu même de nos jours. Certes la Savane et les marchés ont été 'aménagés', certes le béton est en train d'expulser le bois, mais dès qu'on quitte la Savane et les rues touristiques qui la jouxtent, on entre dans un univers qui, malgré tout ce qu'il peut contenir de 'français', reste profondément

198

autre en son fond. De même, lorsqu'on passe de l'En-ville aux quartiers, ou vice versa, c'est d'une transition de degré et non de nature qu'il s'agit, ni la créolité ni la francité ne commençant ni ne s'arrêtant au passage du pont Levassor... Bref, malgré toute sa longueur et toute sa complexité, *Texaco* propose une vision singulièrement *simplifiée* de l'espace foyalais et, corrélativement, de l'ensemble de la société et de la culture martiniquaises. Simplification inséparable, à notre avis, de l'intention polémique et pédagogique du romancier qui fait que, en dépit de ses qualités incontestables, *Texaco* marque, artistiquement, un pas en arrière par rapport à *Solibo Magnifique* et surtout à *Chronique des sept misères*. A la richesse hétéroglottique de son premier roman, et à la multiplicité de ses points de vue, *Texaco* substitue l'univocité d'une seule narratrice dont l'optique tend à se confondre avec celle de l'auteur : le 'Sermon Marie-Sophie Laborieux'[10] est, pour l'essentiel, le 'Sermon Chamoiseau', la formation de juriste et le rôle de propagandiste indépendantiste l'emportant progressivement sur la vocation d'artiste. Contestant, à juste titre, le binarisme qui consiste à opposer les mornes à la plaine, et surtout à la ville, *Texaco* propose à sa place un manichéisme binaire entre centre et périphérie, francité et créolité, français et créole, qu'il faut à son tour déconstruire. Très simplement, il y a du Texaco dans l'En-ville, et de l'En-ville dans Texaco : à vouloir les séparer et les opposer, Chamoiseau succombe au dualisme réductionniste

---

10   Titre qui est donné à toute la partie centrale de *Texaco* (39-418).

que la créolité reproche avec justice à la théorie de la négritude. D'où le paradoxe fondamental de *Texaco* : cet éloge de la créolité urbaine est on ne peut plus 'français' dans la logique binariste qui le sous-tend, d'où en partie la faveur dont il a joui auprès de la presse littéraire parisienne et, surtout, du jury Goncourt. Pour une vision plus 'créole' de la créolité, il faut tourner aux romans de Raphaël Confiant, le sujet de notre dernier chapitre.

CHAPITRE VI

RAPHAËL CONFIANT ET LE ROMAN CARNAVALESQUE

1. 'Le roman créole sera cacophonique ou il ne sera pas'

Au cours des innombrables 'joutes verbales' (A 379)[1] qui opposent le Martiniquais Monsieur Jean au Blanc-France Jacquou Chartier au bar de Chine dans le quartier populaire des Terres-Sainville à Fort-de-France autour de 1959, celui-ci, tout étranger qu'il est, dresse à l'intention de son ami et adversaire autochtone tout un programme littéraire dans lequel d'aucuns verront, à tort ou à raison, une traduction plus ou moins directe du programme littéraire de l'auteur Raphaël Confiant lui-même. 'Le roman créole sera cacophonique ou il ne sera pas', déclare Chartier, et cela à cause, précisément, de la 'cacophonie du réel' (334) qu'il est sommé de représenter et d'exprimer. Au 'grotesque martiniquais' (226) - une 'version insulaire du baroque américain', selon Chartier (87) - et surtout au 'génie baroque de Fort-de-France' avec 'l'extrême puissance de son grotesque' (234) il faut une forme romanesque également grotesque, un peu comme 'l'architecture disparate' (227) de la ville elle-même et surtout de ses quartiers populaires qui, chez Confiant comme chez Chamoiseau, incarnent, dans leur confusion même, ce génie de la Créolité auquel il s'agit, avant tout, de trouver l'équivalent textuel le plus adéquat possible:

> Il faudrait bâtir le roman créole à l'aide
> de pans inachevés. Donner à lire un

---

[1]   Dans ce chapitre, nous employons les sigles suivants: A = *L'Allée des Soupirs* (1994), E = *Eau de Café* (1991), N - *Le Nègre et l'Amiral* (1988) et R = *Ravines du devant-jour* (1993).

monde hétéroclite, un peu sur le modèle de vos cases créoles. Regardez celles des Terres-Sainvilles ou du Morne-Pichevin : deux feuilles de tôle ondulée ici, trois bouts de planche là, quelques bribes hâtivement empilées surmontées d'une plaque de fibrociment, le tout colmaté par des feuilles de cocotier sèches ou de lattes de bois-ti-baume.

Etant donné 'l'enflure naturelle du réel créole' (236) et 'l'enflure de la parole' (377) qui, dans la vie quotidienne, la constitue plutôt qu'elle ne l'exprime, il faut un roman lui-même en quelque sorte enflé, hyperbolique, extravagant, capable d'exprimer 'la démesure de chaque existence' martiniquaise, 'l'apparente déraison des actes et des projets de tout un chacun', tels qu'on a pu les observer lors des émeutes de décembre 1959, 'toute cette immense cacophonie de révolte, de rires, de sang, de sueur, de délires, de folie' (378) qui, pendant plusieurs jours, a mis en jeu toute la structure sociale et politique du pays.

A Monsieur Jean qui préfère 'polyphonique' à 'cacophonique' comme étant moins péjoratif, Chartier rétorque que 'le terme qui convient est bel et bien cacophonique car dans polyphonique, il y a de l'ordre, de l'harmonie':

La polyphonie n'est qu'une juxtaposition de voix ou alors un entremêlement fixé à l'avance. On est toujours dans le cartésianisme, il n'y a pas de dérapage possible, de folie, de démesure. (334)

'Ici-là', conclut le Blanc-France, 'la réalité déborde, elle est trop généreuse' (379), trop généreuse surtout pour être cernée dans la forme étriquée du roman 'cartésien', 'classique' ou 'réaliste' dans le sens traditionnel du terme. 'Nulle cacophonie' (334) non plus dans la poésie soi-disant 'surréaliste' d'un Aimé Césaire : il faut inventer une littérature débordante à la (dé)mesure du pays, tâche que Chartier confie à un plumitif local on ne peut moins capable de l'assumer.... Laissons de côté les ironies - dont l'auteur est à coup sûr pleinement conscient - d'une littérature de la Créolité que défend plutôt qu'il ne l'illustre un 'zoreille' de passage dont le nom sent le passé colonialiste de son pays, et examinons un peu systématiquement la dimension 'cacophonique' ou, comme nous allons l'appeler, carnavalesque des romans 'français' de Raphaël Confiant, carnavalesque parce que c'est au moment du rite annuel de Vaval que la cacophonie du réel martiniquais atteint à son point paroxystique et se dépense en gestes, masques et surtout paroles hyperboliques que, plus que tout autre écrivain des Antilles, Confiant a su capter dans ses textes.[2] Alors que les descriptions du carnaval en tant que tel n'abondent pas dans l'oeuvre de Confiant, c'est à partir de celles-ci, et surtout à partir du récit autobiographique contenu dans *Ravines du devant-*

---

2   Il va sans dire que toute notre discussion de la dimension carnavalesque des romans de Confiant est influencée par l'étude désormais classique de Mikhaïl Bakhtine, *L'Oeuvre de François Rabelais et la culture populaire au moyen âge et sous la renaissance*, tr. Andrée Robel (Gallimard, 1970). Pour une lecture en partie bakhtinienne du *Nègre et l'Amiral*, voir Scharfman (1995), paru après la rédaction de ce chapitre.

jour (1993), que nous allons aborder la question beaucoup plus large du carnavalesque dans la vie quotidienne martiniquaise et de sa transposition et mise en forme dans le roman.

2. Sa Majesté Vaval

'A la campagne, on ne fait pas carnaval', mais 'en Ville, les êtres les plus insignifiants dans la vie de tous les jours trouvent leurs moments de glorieuseté à la saison des masques. C'est à qui se fabriquera ou se fera fabriquer le plus remarquable, le plus ingénieux ou le plus rutilant.' Prenons le cas, exemplaire, de Djigidji, un djobeur 'atteint de la maladie de la secouade' qui 'affectionne les masques malpropres' façonnés à partir d'un 'assemblage hétéroclite' de pots de chambre d'Aubagne, de robes usagées, de souliers à talons hauts et de fard et de poudre de riz qu'il se procure grâce à ses contacts 'professionnels', dont la famille Confiant. Tournant son affliction physique en arme de revanche, Djigidji profite de la 'semaine de dévergondation' pour 'jouer des tours pendables à tous ceux qui l'ont humilié, la semaine ou le mois d'avant. Sa vengeance favorite consiste à tremper un court balai en bambou dans un pot de chambre d'Aubagne rempli de caca et de pissat, et à oindre l'objet de son ire de ces saintes et sataniques huiles en hélant : "Manjé! Manjé, non! Sa bon." (Mange! Allez, mange! C'est délicieux.)' D'ailleurs, commente le narrateur, 'au temps de Vaval, tout le monde ne devient-il pas parkinsonien ? N'est-ce pas une gigantesque houle de jambes et de bras qui gigotent sans répit à travers les rues ?' Ou bien c'est le Diable Détho, 'le seul à porter le masque rouge et cornu dont les centaines de miroirs éclaboussent les rues d'échardes de lumière et qui se fend un chemin dans la foule en claquant un fouet qui est aussi une manière de capturer de la lumière, de la dompter'. A mesure qu'il avance, le Diable Détho recrache des gorgées de tafia qu'il 'ingurgite dans de terrifiants glouglous' sur 'la meute de marmailles qui l'a pris en chasse lorsque celle-ci a eu l'impudence de s'approcher trop près de lui' en hurlant à pleins poumons : '"*Djab-la ka mandé an timanmay!*" (Le Diable réclame un petit enfant!)' Et puis il y a 'un charivari de mariages burlesques' où des 'hommes poilus et barbus grimés en épousées toutes de blanc vêtues [..] se trémoussent, se cabrent sur le sol, contenant à grand-peine leur énorme grossesse faite de vieilles hardes et de papiers journaux' alors que des 'époux aux rondeurs équivoques, à la chevelure fine, arborant d'énormes hauts-de-forme [..], s'attendrissent exagérément devant les spasmes des parturientes'. 'Dans les rues voisines, des orchestres se déchaînent, entraînant derrière leurs tambours et leurs chachas des corps ruisselant de sueur qui vocalisent des chanters dans lesquels toute pudeur semble avoir été bannie' alors qu'ailleurs 'les chars défilent - défilent - défilent - bateau corsaires, pyramides d'Egypte, toréadors, nègres-gros-sirop, mariannes-peau-de-figue, paysans bretons avec des cornemuses', le tout avec une 'jovialité immodérée' qui ne manque pas de menace, tout comme les mariages burlesques provoquent 'fou rire et haut-le-coeur tout à la fois'. (Toutes citations dans R 183-90).

Même image d'une monde hyperbolisé dans les rares descriptions du carnaval dans les romans. Dans *Le Nègre et l'Amiral* Rigobert arbore 'une grosse tête de boeuf rouge cornu, couverte de petits miroirs scintillants, une cape noire truffée d'épingles pour étreindre les négrillons trop bandits et une cravache au bout de laquelle il avait attaché une roche parfaitement ronde' (N 44), alors que les nègres-gros-sirop du Morne-Pichevin, forts d'une 'réputation de férocité bien méritée', s'enduisent de goudron de la tête aux pieds et, 'tout dégoulinants de leur liquide noir', '[foncent] sur le public et le [baignent] sans ménagement', le tout accompagné 'd'onomatopées terrifiantes et de lampées de tafia' : 'Les pires atrocités leur étaient permises car ils symbolisaient les esclaves se libérant de leur joug.' L'un d'entre eux s'éprend d'une chambrière travestie en libellule et la mène danser avec lui au milieu d'un défilé de masques-malpropres qui passe:

> L'étrange couple du nègre-gros-sirop
> hideux et de la libellule pleine de grâce
> virevoltant au beau mitan de ces
> bambocheurs en pyjamas déchirés et en
> gaules de nuit, gesticulant avec des pots
> de chambre et des bassines de toilette,
> déchaîna les hourras du public sur les
> trottoirs. (N 74-5)

Merveilleuse conjoncture qui résume à perfection le mariage sublime et burlesque de contraires qu'est le carnaval créole. Alliance ou plutôt juxtaposition du bas et du haut, du caca et des ailes de libellule, Vaval est le domaine même de l'ambigu qui fait chavirer toutes les oppositions binaires qui structurent le monde du quotidien: le mâle se fait femelle 'et vicévessa', le djobeur devient roi, et le sacré de gauche - le Diable, la merde - prend une revanche éclatante sur le sacré de droite, tout comme les pauvres se vengent - très symboliquement - des riches et des puissants et surtout des forces de l'ordre que, quelques jours et nuits durant, ils peuvent narguer à leur gré. Et, à force de brouiller les classifications, Vaval brouille aussi les classes et les races pour en faire, très passagèrement, 'un seul vidé de carnaval bigarré où nègres, mulâtres, chabins, Indiens, Syriens, bâtards-Chinois et même quelques Blancs-pays' (N 278) donnent libre cours à une joie d'où l'angoisse n'est certes pas absente. Mais Vaval n'est pas pour autant un rite de renversement, comme on se plaît un peu à la hâte à le dire, d'abord parce que ce que Mardi Gras renverse Mercredi des Cendres remet bien debout, mais aussi parce que les catégories qu'il brouille sont déjà passablement mélangées sinon dans l'En-ville, ou à Didier et au Petit-Paradis, 'ghettos', à l'époque, de l'aristocratie béké et de la petite bourgeoisie noire, du moins aux Terres-Sainvilles, au Morne-Pichevin, à Volga-Plage et Texaco. Là, Vaval ne renverse pas mais intensifie une vie déjà pas mal 'carnavalesque' en elle-même, car là le bas n'a jamais été tout à fait séparé du haut, ni le sublime du burlesque, et la merde - contenue ou non dans des pots de chambre d'Aubagne - fait partie intégrante du réel quotidien 'depuis le temps du Marquis d'Antin', tout comme la violence, la jactance et le défi verbal, que Vaval présente, pour ainsi dire, en des formes quintessenciées, constituent la vie même de leurs djobeurs, crieurs et majors - pour ne pas parler des victimes de ceux-ci. Surtout, la sexualité que Vaval déferle à sa suite n'a jamais été réprimée ni à la Cour Fruit-à-Pain ni à celle des Trente-Deux Couteaux (ni, sans doute, à Didier, mais passons sur cela...), de sorte que si, pour Monsieur Jean et Amédée Marville, Vaval est bel et bien une négation du monde qu'ils connaissent, il en est au mieux un prolongement en plus intense pour Rigobert, Lapin Echaudé et Fils-du-Diable-en-Personne, comme il l'est, mais d'une autre façon, pour

Philomène, Carmélise et Louisiane. Cela dit, commençons par relever quelques-uns des éléments carnavalesques dans la vie quotidienne des bougres et bougresses des Terres-Sainville et du Morne-Pichevin, quitte à passer plus tard à leur mise en forme carnavalesque dans les romans eux-mêmes.

3. Le Corps grotesque

S'il y a une image qui incarne l'idée du 'sublime' à la Martinique, c'est bien la statue de 'l'impératrice Joséphine des Français rêvant très haut au-dessus de la négraille' (Césaire 1983 : 10) sur la Savane à Fort-de-France, ses yeux de pierres braqués à travers la Baie des Flamands sur sa maison natale aux Trois-Ilets.[3] Elevée en plein Second Empire grâce aux initiatives des Blancs-pays, Joséphine résume le corps sublime tel que l'entendent l'idéologie et l'esthétique 'officielles' à la Martinique. Blanche, lisse, et sans protubérance aucune sauf la délicate rondeur qu'inscrivent ses épaules, seins et hanches, Joséphine présente une surface sans faille à qui la contemple de près ou de loin. De sa présence marmoréenne découle un message idéologique qu'il n'est guère besoin d'être sémiologue pour savoir déchiffrer : *Je suis belle, ô mortels, comme un rêve de pierre*,[4] et ce que j'incarne c'est la Francité de la Martinique, le lien nécessaire et naturel qui relie la fille préférée de la France à sa Mère-Patrie lointaine, ma blancheur est pure de toute contamination nègre, je hais le mouvement qui déplace les lignes sociales, politiques et surtout raciales, et jamais je ne ris et jamais je ne pleure.... Joséphine ou la Créolité à l'usage de la

---

3   Pour une analyse du symbolisme de la statue de Joséphine, ainsi que de celle, antithétique et complémentaire, de Victor Schoelcher, voir Burton (1991).

4   L'on a reconnu le premier vers de 'La Beauté' de Charles Baudelaire, qui est employé comme mot de passe par les 'dissidents' dans *Le Nègre et l'Amiral* (N 272).

France et des Békés-pays et, par cela même, l'aubaine de tous les barbouilleurs, nationalistes et autres, en quête de cible, quitte à subir l'ultime humiliation - la guillotine - à l'orée des années quatre-vingt-dix : celle qui incarne la version officielle de l'histoire martiniquaise est bel et bien un 'corps sans tête' (Glissant 1993 : 17) que personne, jusqu'ici, n'a su restaurer à son intégrité originale....[5]

Dans les circonstances, l'on ne s'étonnera pas de la place qu'occupe la statue de Joséphine dans l'espace réel et surtout imaginaire des personnages de Confiant, ni du fait que son corps sublime sert presque toujours de repoussoir à un corps grotesque de nègre ou de négresse, celui-ci s'opposant à celui-là comme Vaval s'oppose à l'ordre consacré des choses, comme la spontanéité vivante à la norme pétrifiée et aliénante. Lors des émeutes de décembre 1959, la statue de l'Impératrice est peinte en noir par 'une ou plusieurs mains anonymes' au grand scandale du plumitif mulâtre Romule Casoar qui y voit une preuve du 'pan-béotisme' de ses congénères (A 308-9); elle est fraîchement repeinte pour la visite de De Gaulle en 1960, mais ce n'est que pour servir de mirador à 'des grappes de petits mouscouillons [qui] y avaient grimpé et [dont les] figures étaient tiquetées de taches blanches qui leur donnaient l'air de *masques de carnaval*' (400, c'est moi qui souligne). A la fin d'*Eau de Café*, le major Bec-en-Or se masturbe, tout en invectivant ses compatriotes, au pied de la statue de l'Impératrice, comme pour souiller une image de beauté qu'il ne saura jamais posséder (E 330), tout

---

5   Pour une méditation approfondie sur les péripéties subies par la statue de l'Impératrice, voir Orville 1993 : 164-6.

comme, plus tard, Cicéron Nestorin se masturbera devant les mannequins blancs aux vitrines des magasins de Syriens en hurlant 'Vive Schoelcher-er-er!' ou 'Vive l'Abolition!' au moment de jouir (A 249); d'une façon plus terre-à-terre, un vagabond pisse sans gêne au pied de la statue (E 265). Il n'y a personne, pourtant, qui reste indifférent au 'sourire sardonique' de l'Impératrice (E 210) que, d'une façon ou d'une autre, tous les Martiniquais ont en quelque sorte intériorisé : au début de *L'Allée des Soupirs* une 'négresse nubile' en défie 'la hautaineté' avec son 'regard-matador' (A 11), comme pour narguer la distance qui la sépare de la blancheur idéale, et même Romule Casoar, lui qui a fait siennes toutes les valeurs françaises, murmure 'Belle salope que tu es!' en passant, tête découverte, devant la statue (A 353). Enfin Rigobert, cette incarnation de l'esprit carnavalesque, grimpe sur la statue pour haranguer la foule dont un couple d'Européens munis d'un appareil photographique : 'Rigobert voulut les injurier et, ne sachant pas s'ils comprendraient le créole, ôta son sexe de sa braguette et le secoua avec une indifférence étudiée.' (N 73)

Si le corps de l'Impératrice est lisse et - avant sa décapitation - sans faille, celui de la négresse qui lui fait pendant est tout en protubérances, en creux et en fentes. A peine une négresse chez Confiant qui n'étonne par sa 'stéatopygie délirante' (E 43) ou par un 'popotin phénoménal' à tel point qu'on pouvait 'y poser en toute tranquillité une tasse de café' (E 84). '"*Fout fès fanm Fdfwans fann fon!*"' (Foutre que les fesses de femmes de Fort-de-France sont fendues au fond!)' (A 130, voir A 404) : telle pourrait être la devise de tout l'univers romanesque que nous évoquons ici.... Voici une 'cathédrale fessière qui [déclenche] une bande' chez tous ceux qui la voient (A 330), voilà un 'derrière protubérant qui ferait bander un évêque' (N 34), et voilà encore un 'arrière-train affolant' dont 'chaque pomme-fesse [insinue] : "Voici ta part, voici la mienne!"' (N 29) Et ce ne sont pas seulement les femmes qui fassent valoir leur fesses, témoin le major bien nommé Bonda Mézanmi dont on voit 'les deux pommes des fesses [..] complètement à l'air pour la raison que, dès qu'il achetait un short (ou le volait), il s'empressait de découper deux grands ronds à hauteur de son postérieur pour rivaliser avec Bec-en-Or qui n'en ôtait qu'un seul' (A 129). Comment, en effet, mieux narguer les cultivés qu'en faisant spectacle public de son cul ?...

Mais si l'imagination confiantesque est attirée par les protubérances, elle l'est encore plus par les creux et les fentes : aucun auteur ou marqueur de paroles antillais, en effet, qui n'ait chanté avec autant d'ardeur et de lyrisme la poésie de la coucoune, le plus beau mot qui existe, selon *Le Nègre et l'Amiral* (127), pour désigner le sexe de la femme. Qu'il s'agisse donc de 'la coucoune noire et grainée aux lèvres roses comme la conque du lambi' (E 293), des 'coucounes hardies des chabines aux poils jaunes comme la mangue-zéphyrine', de la 'fente mordorée et pudique des mulâtresses' (E 85), du sexe des femmes indiennes aux poils 'aussi coupants que des lames-gillette' (A 102) ou surtout des 'councounes bombées et crépues des négresses-bleues, les plus sublimes qu'on pût imaginer, les plus affolantes aussi' (E 85), le sexe de la femme de couleur est toujours en quelque sorte hyperbolique, chargé d'un excès de vitalité ou de menace, abîme qui, souvent, envoûte dans la mesure, précisément, où il fait chavirer : 'sa coucoune était un gouffre noir où perlait une sueur cristalline et enivrante' (E 176), 'cette coucoune chaude aux lèvres d'un rose violent dont la languette sentait bon le vétiver' (N 211), etc. Tout, enfin, est pléthorique chez la femme de couleur. Si elle est enceinte, elle est 'enceinte-gros-boudin' (A 126), et quand elle fait l'amour c'est 'comme un être qui va se noyer et à qui le désespoir donne une vigueur sans commune mesure avec sa corpulence'; se donner, chez elle, c'est 'une chute libre dans le grand trou de la chair et retour - éphémère, hélas! trop éphémère! - dans le néant originel' (N 124-5). Toute négresse est donc féerique, et non seulement la Philomène d'Amédée évoquée ici, et, surtout, toute négresse est généreuse, disponible et *bonne* : elle a, comme dit Confiant de Man Doris dans *Eau de Café* (319), 'le coeur aussi large que sa coucoune'.

Faire l'amour avec une telle femme peut procurer à l'homme un 'vertige d'éternité' (N 124) tel qu'Amédée connaît avec Philomène, mais l'étreinte chez Confiant est le plus souvent d'une brutalité et surtout d'une rapidité extrêmes.[6] Le corps masculin est encore plus schématisé que celui de la femme et ne semble connaître d'état intermédiaire entre l'impuissance et le satyriase : soit la verge, ou le kal, le coco ou le fer, refuse 'de marquer une autre heure que six heures et demie' (E 145), soit elle subit 'une bandaison de mulet' (A 283, voir N 46) à laquelle il faut donner coûte que coûte satisfaction. '"*Man lé koké épi'w!*"' (Je veux faire l'amour avec toi!)' hurle Fils-

---

6   On lira avec intérêt l'essai de Thomas Spear ('Jouissances carnavalesques' (1995)), paru après la réduction de ce chapitre.

du-Diable-en-Personne à toute bougresse qu'il rencontre, 'et attrape celles qui se laissent faire par une aile, les renverse par terre quel que soit le lieu et les enfourche le temps de compter jusqu'à six' (A 373). Alors que les négresses-majorines 'se font coquer avec sauvagerie (oui, coquer à la façon du coq sur le dos de la poule) entre deux portes par le gardien, vieux nègre à pian, par quelques tafiateurs qui s'étaient endormis dans un coin, par n'importe qui, dans n'importe quelle posture' (E 115-6), les amarreuses sont violées de façon routinière par les commandeurs, parfois avec des conséquences mortelles pour ceux-ci ou leurs victimes : ainsi Julien Thémistocle 'mata' Franciane lorsqu'elle était enceinte d'Eau de Café, 'l'enfourchant' avec une sauvagerie telle qu'elle en est morte le lendemain (E 136), alors qu'un autre commandeur meurt en dépucelant Eau de Café elle-même: 'Ouvert mes cuisses. Monté sur moi. Défoncé ma coucoune pour faire le sang tiger sur l'herbe.' (E 245) Mais même lorsqu'il ne s'agit pas d'étreintes forcées ou vénales, l'acte sexuel chez Confiant est, à quelques exceptions près, un acte dépourvu de tendresse et même de sensualité réelle : il est question pour l'homme de 'fendre' ou de 'déchirer' sa partenaire (E 246, 294), de la 'pilonner' (E 122) ou la '[défoncer] à l'aide de son pilon' (E 101) ou encore de la '[bourrader] à grands coups de reins dignes d'un mulet' (A 244). 'Kal', 'Koké', 'Koukoune', 'Bonda', la 'tétralogie du foutre et de la merde' (E 250) : le pays de la Martinique, dit Fernand Dalmeida dans Le Nègre et l'Amiral, a été 'tout entier construit sur la fornication', d'abord de la femme esclave par maîtres et géreurs blancs, puis de celle-ci par le commandeur nègre imitant les Blancs, et puis par les nègres à houe et à talent imitant maîtres, géreurs et commandeurs tout

216

ensemble : 'Rien n'a changé aujourd'hui, mon vieux, à part que nous, les hommes de couleur, nous avons intériorisé les phantasmes des békés' (N 92). 'Tu agis comme un géreur d'habitation', dit Monsieur Jean au 'baliverneur' Eugène Lamour ('autrement dit le Don Juan dans la parlure des Blancs-France', A 100-1), pour lui faire voir combien son comportement sexuel est aliéné et pour suggérer, ce faisant, à tel point l'esprit et les valeurs carnavalesques qu'Eugène représente sont *masculins avant tout* et dans quelle mesure aussi ceux-ci peuvent dériver d'une source tout à fait imprévue, c'est-à-dire *de l'esprit et des valeurs des Békés-pays*. Nous reviendrons à cette question dans les pages qui suivent mais, avant de quitter le corps grotesque, il faut en souligner un dernier aspect qui assume chez Confiant une importance pour ainsi dire fondamentale...

Que ce soit à Grande-Anse, au Morne Pichevin, aux Terres-Sainvilles ou à Volga-Plage, chaque jour commence avec le rite, banal entre tous, de la vidange du pot de chambre familial. 'Contraint de cheminer dans ce filet d'eau boueuse qu'est la Ravine Boillé malgré sa puanteur qui lui chavirait l'estomac', Rigobert - dont le nom évoque 'rigole' dans les deux sens du mot[7] - voit une jeune femme y 'verser son pot de chambre par la fenêtre en le projetant à l'aide d'un moignon de balai en bambou' (N 153) ; à Volga-Plage, Philomène vide le 'contenu écumeux' du sien sur les racines de son magnolia tout 'en gloussant pour un

---

[7]   Thomas Spear fait remarquer aussi comment le nom de Rigobert réunit de façon dérisoire 'rigole' et 'Robert' (cité dans Scharfman 1995 : 127).

interlocuteur invisible : "*Pisa lannuit sé pli bon langré!*"
(Il n'y a pas de meilleur engrais que l'urine de la nuit!)'
(A 238), alors que, tout près du Palais de Justice
même, Romule Casoar est à peine surpris, et choqué
encore moins, de voir une femme 'complètement
dépoitraillée' sortir d'un corridor 'pour lancer ses
excréments dans le canal où l'eau stagnait' (A 181) ; le
cas échéant, un 'pot de pissat en émail, toujours plein
à ras bord' servira d'arme de choix pour une
bougresse qu'assiègent un partenaire violent ou un
prétendant dédaigné (A 218, N 87). Bien qu'il puisse
arriver aux habitants (et même aux habitantes) de
quartiers populaires d'uriner en public devant leurs
siens (voir N 69), ce sont surtout les places de l'En-
ville qu'ils choisissent pour les évacuations *urbi et
orbi*, les transformant en 'd'insupportables pissotières,
voire dans certains cas, d'infects cacatoirs' (A 36) ;
c'est avec un sans-gêne total que, près du cinéma Pax,
Cicéron '[ouvre] sa braguette pour pisser à même le
trottoir', laissant les assistants 'hypnotisés par la
longueur de son braquemort' (A 207). De tels gestes
ont certes une signification oppositionnelle assez
ouverte que les 'masques-malpropres' transformeront
en agressivité ostentatoire et carnavalesque (R 187).
Carnavalesque aussi la 'défécation publique matinale'
à laquelle se livrent chaque jour, ti-décollage pris et
shorts baissés jusqu'aux chevilles, Bec-en-Or et Fils-
du-Diable-en-Personne, à la grande joie des 'petites
marmailles qui traînaillaient avant d'affronter les
coups de règle de leur maître d'école' et qui 'pariaient
des billes ou des noix sur celui des deux fiers-à-bras
qui lâcherait son étron le premier' (A 21-2, voir aussi
383-4). Mais ce charivari d'élimination publique a
lieu, précisément, sur la Levée qui sépare Terres-
Sainvilles de l'En-ville, et c'est là, sur ce *limen*

218

symbolique et réel, que hors-la-loi et marmailles en rupture de ban font cause commune pour narguer la règle et le règne du Maître. Rite liminaire et enfantin, Vaval éclabousse la structure du monde de ce que celui-ci rejette et renie : ce n'est pas pour rien que le Diable, *dia-bolos* (cf dia-rrhée), signifie, précisément, jeteur de merde.... Mais la 'joute fécale' (A 384) que se livrent chaque matin les deux fiers-à-bras ne font que porter à son point... culminant la base ludique et agonique de toute culture créole masculine, comme nous allons le voir dans la section qui suit.

4. *Homo ludens caribeanus* : Jeu et lutte dans la culture créole

En effet, le 'gourmage' (A 383) qui oppose quotidiennement Bec-en-Or et Fils-du-Diable-en-Personne ne fait que reproduire, sur un mode il est vrai un peu spécial, les innombrables 'gourmeries' (E 81) et 'disputailleries' (E 82), réelles et symboliques, qui divisent et en même temps relient très paradoxalement toute la société masculine martiniquaise et fait d'elle, de son sommet béké jusque dans ses tréfonds nègre et couli, en passant par les mulâtres, les Chinois et les Syriens, comme un 'trafalgar généralisé' (N 79) où il va viscéralement de la 'respectation' et de la 'dérespectation' de tout un chacun. Aucune émotion, aucune valeur, qui ne soit plus répandue, en effet, que le souci de la réputation masculine, qu'il faut tout faire pour gagner mais qu'un rien peut faire perdre. Ainsi dans *Eau de Café* Julien Thémistocle devient 'héros populaire' (E 31) pour avoir défié la police et jouit d'une 'respectation si débornée' (E 196) comme tafiateur, coqueur de femmes, manieur de jambette effilée et de maître-parole que personne n'ose même prononcer son nom ou le regarder en face. Non seulement Bec-en-Or est 'unanimement respecté par toute la négraille' (A 14) mais jusqu'aux Sénateurs de la Savane 'lui baillent honneur et respectation' (A 372) ; même le Patriarche béké, Henry Salin du Bercy, 'père d'une famille-dehors d'une quarantaine, au bas mot, de rejetons mulâtres', 's'en vantait partout pour qu'on n'oubliât point de lui bailler la respectation que méritait un tel exploit' (A 64-5). Quelquefois des qualités 'morales' peuvent être source de réputation masculine - aussi les connaissances intellectuelles de Monsieur Jean lui valent-elles 'honneur-et-respect chez tous les bougres des Terres-Sainvilles' (A 27) - mais en principe celle-ci est extérieure et même antithétique au bien moral tel que l'entendent les valeurs officielles du pays. Non seulement elle est anti-religieuse par essence, témoin les blasphèmes interminables de Rigobert, mais elle s'oppose avant tout à la valeur du travail à laquelle elle oppose sans fin la contre-valeur du *jeu*, ainsi Fils-du-Diable-en-Personne qui, lors de la messe en honneur du travail à la Cathédrale un 1er mai, au moment où les autres communiants élèvent marteaux, truelles ou rabots pour que Monseigneur les bénisse, sort de son sac 'un coq de combat -hé oui, un magnifique coq-paille - qu'il brandit triomphalement à la figure de l'archevêque qui goupillonnait avec parcimonie son eau bénite' (A 171). Geste oppositionnel suprême qui vaut à son auteur son surnom diabolique et dont nous allons successivement analyser la triple composition ludique, agonique et phallique, en y ajoutant deux autres éléments essentiels - le tafia et la parole - sans quoi aucun fier-à-bras, si grand joueur, coqueur ou lutteur qu'il soit, ne pourrait prétendre à être un véritable major.

a)   ***Tafiateurs et boit-sans soif***

On mange assez peu dans les romans carnavalesques de Raphaël Confiant[8], et pourtant on y boit à pleines rasades, plus ou moins sans

---

8   Cf l'étude classique de Jean-Pierre Richard sur Flaubert ('On mange beaucoup dans les romans de Flaubert' (Richard 1954 : 119).

discontinuer. Partout, que ce soit à Grande-Anse, à Fort-de-France ou ailleurs, on trouve les tafiateurs (E 114, 116, 119, etc.), les 'bambocheurs invétérés' (A 177), les 'boit-sans-soif' (E 239), leurs esprits 'entafiatés à longueur de journée' (A 117), les 'fainéantiseurs qui surveillent le monde pour lui dérober son bien' (A 171), les 'grands adorateurs du tafia devant l'Eternel' (A 379), tous, même et surtout lorsqu'ils ont l'air heureux, 'des rhumiers [ruminant] leur habituelle tristesse de nègres sans raisons de vivre' (A 344). Tous les héros populaires de Confiant, ou presque, ont, comme Fils-du-Diable-en-Personne, l'esprit 'perpétuellement embarbouillé par le tafia' (A 290); Thémistocle, ce 'monseigneur du tafia' (E 231) est entouré d'un 'halo de rhum' (E 135) qui le précède un peu partout, alors que Rigobert est tourmenté d'un 'inextinguible désir de tafia' (N 11) qui ne le quitte pour ainsi dire jamais. En plus, 'le amateurs de rhum ont l'honneur chatouilleux et font le rasoir parler français au moindre impair' (E 239). Un fond de violence, même une 'démence scélérate', se cache, prêt à exploser, sous 'l'espèce de soulaison sans papa ni manman' (A 19) à laquelle se livrent coupeurs de canne chaque samedi après l'heure de la paie et dont, infailliblement, les femmes portent les frais : le lien entre ivresse et violence sexuelle est une des constantes de la vie d'habitation (E 282, A 19, etc.).

Mais, ici encore, les nègres ne font, dans un sens, qu'imiter les békés qui, eux aussi, sont souvent 'chargés de tafia comme des mulets bâtés' (N 183). Dans *Le Nègre et l'Amiral* Salin du Bercy se sert 'une rasade de rhum à assommer un mulet' (N 179), un autre béké se rue sur Amédée après avoir 'boissonné comme un trou' (N 66) et dans *L'Allée des Soupirs*, à la fin d'une bamboche de békés, l'un d'entre eux s'avance, braguette ouverte et veston entaché de graisse, vers les cases à nègres 'presque en brindezingue à cause du rhum et du champagne qui coulaient à flots depuis la veille' (A 275). Blancs ou noirs, les géreurs et commandeurs boivent à qui mieux mieux, et quelle est la différence si les femmes indiennes sont violées aux champs 'par le béké ou par un commandeur nègre ivre mort ?' (E 273) Bref, le goût du tafia réunit *tous* les hommes créoles, quelles que soient leur appartenance ethnique ou leur position de classe, et les oppose au monde des femmes. Chaque verre de tafia est une négation de la femme[9], et ce n'est que fort exceptionnellement que, chez Confiant, une femme s'enivre. En apprenant la nouvelle de la déclaration de guerre en 1939, les hommes du quartier Marigot-Belleville 'mataient des fioles de tafia dans leur gorge avec avidité' alors que 'les femmes étaient prostrées à la devanture des cases, leur chapelet à la main' (A 93). Comment mieux montrer que, si le tafia est la religion des hommes, la religion est, symétriquement, le tafia des femmes ? De là une première et très provisoire conclusion à laquelle les sections qui suivent apporteront des preuves supplémentaires : il y a, au sein de la culture créole, un clivage fondamental qui n'est pas de race, et encore moins de classe, mais surtout de sexe, clivage qui se manifeste au premier chef dans les comportements ludiques et agoniques que nous allons maintenant analyser.

---

[9] Cf, dans un tout autre contexte culturel, Rachid Boudjedra (1981 : 39) : 'Chaque tasse de café est une négation de la femme'.

b) *Majors et gouverneurs des dés*

S'il est vrai, comme le dit Major Béraud à Eau de Café, que 'deux crabes mâles ne vivent pas dans le même trou' (E 187), ceux-ci ne peuvent pas pour autant se passer l'un de l'autre : la société martiniquaise étant une 'société comparaison'[10], ce n'est qu'en se mesurant à autrui que le major - et tout homme martiniquais est un major dans un sens ou un autre - peut prouver sa valeur aux yeux de la communauté et, surtout, aux siens propres. De là cette obsession de la rivalité et de l'agon réel ou symbolique - mais, ici, le réel est le symbolique, et le symbolique le réel - que l'on retrouve presque à chaque page dans les romans de Confiant : combats de coq, jeux de sèrbi, de cartes et de dominos, la danse-combat suprême qu'est le damier, confrontations stylisées où il faut faire valoir sa maîtrise de la parole, 'gourmages' de toutes sortes provoqués par un rien qui restent pour la plupart dans le domaine de l'affrontement sublimé ou ludique mais qui peuvent entraîner la sortie du bec-de-mer espadon et du rasoir - Sheffield.... 'Dans cette île minuscule, 'écrit Confiant dans *Eau* de Café, 'le nègre nourrit jalouseté à l'endroit du nègre', chacun couvant 'un abîme de suspicions et de rancoeurs contre son plus proche voisinage' (E 281). 'Le nègre n'a pas besoin d'un sac de raisons pour haïr le nègre' (E 319),

---

10 Cf Fanon (1975 : 170-2) : 'Les nègres sont comparaison [..], c'est-à-dire qu'à tout instant ils se préoccuperont d'auto-valorisation et d'idéal du moi. [..] La société antillaise est une société nerveuse, une société "comparaison".'

mais, paradoxalement, c'est 'cette sorte de haïssance qui a tressé peu à peu les mailles indéfaisables de notre société' (E 325). Source à la fois de divisions et des institutions sociales qui permettent la résolution de celles-ci, la 'haïssance' structure la société martiniquaise, laquelle, sans les débouchés qu'offrent les jeux et autres formes de lutte sublimée, risquerait tout simplement de voler en éclats. Aussi, à Grand-Anse, une telle 'haïssance' oppose-t-elle Bérard et Thimoléon, mais 'les deux majors et leurs affidés respectaient avec scrupule leurs aires de chasse et de pouvoir' et 'la Rue-Devant, terrain neutre, servait d'arène pour des duels et des gourmeries toutes plus homériques les unes que les autres (E 81). Chauffeur d'un taxi-pays baptisé *Le Golem*, Bérard a aussi pour rival Maître Salvie, chauffeur du *Bourreau*, chaque taxi ayant aussi sa clientèle distincte : les 'gens respectables' pour *Le Bourreau*, les 'nègres vagabonds' pour *Le Golem* (E 147). Chaque jour a donc lieu une 'guerre entre les deux taxis-pays dont les chauffeurs étaient les plus m'en-fous-bens de tout le nord de l'île' (E 261), une 'joute féroce' (E 151) à laquelle chauffeurs et passagers prennent également part et qui, pour Bérard, consiste 'à ne freiner que huit fois sur le trajet Grand-Anse-Fort-de-France et bailler ainsi une énième leçon de conduite à ce hâbleur de Salvie' (E 147). Se doublant à qui mieux mieux, chauffeurs et passagers descendent vers Fort-de-France en se traitant mutuellement de '"*sakré bann makoumé*" (Tas de femmelettes!)' et en échangeant des propos mal élevés sur le clitoris de leurs mères et dépensent ainsi une 'haïssance' réciproque qui, sans cela, pourrait menacer la communauté même (E 261) : la rivalité génère son propre antidote et réunit ludiquement la

225

société que, laissée à elle-même, elle ne pouvait pas ne pas diviser.

Bien autrement sérieux est le jeu du sèrbi, ce 'jeu de dés redoutable aux règles mystérieuses et au rituel si rigoureux que nombre d'esprits pourtant bien formés avaient renoncé à les faire leurs' (E 82), qui constitue un des thèmes essentiels de l'oeuvre de Confiant tout comme, dans un proche passé, il a constitué un des thèmes essentiels de la culture créole masculine.[11] Ici il s'agit avant tout de la gloire individuelle du joueur, du moment où il entre dans l'aire du jeu, se fait regarder de haut en bas par les autres joueurs, relève leur défi en s'asseyant à leur table et commence à lancer les dés. Pour bien s'imposer au sèrbi, explique Thimoléon au narrateur d'*Eau de Café*, 'tu débarques, la chemise déjabotée, les poils de l'estomac agressifs [..], tu lances bien haut "Ce soir, moi, monsieur Untel, je repars avec cinq cent mille francs" et tu drivailles de table en table, goguenard, pour qu'on fixe bien ta figure et retienne la couleur de tes paroles.' Il faut relever les insultes faites à sa mère - 'ce n'est pas qu'on en veuille à la mère en général mais à la tienne et à elle seule et c'est pour qu'à travers le mot, tu ressentes la même brûlure moite qu'après un coup de rigoise' (E 136-7) - et puis 'tu sortiras tes propres dés, tes "os" comme ils préfèrent, et tu les manipuleras un long moment entre tes doigts afin qu'on admire ta dextérité' et, 'sans cesser de fixer ton adversaire dans le mitan de ses

---

[11] Cette section a été écrite avant la parution de la traduction en français de *Kòd yanm* (*Le Gouverneur des dés*, tr. Gerry l'Etang, Stock 1995), dans laquelle l'on trouvera une riche anthologie de thèmes carnavalesques.

grains de coco-yeux' (E 278-9), 'tu devras relever le défi en t'efforçant de contrecarrer ses dés' (E 325) : c'est ainsi que les joueurs 'sauront désormais à quoi s'en tenir avec ta personne' (E 278). Tout au sèrbi se passe donc sur un fond de violence à peine dissimulée. Partout il y a 'des maîtres du sèrbi, le rasoir à portée de main' (A 221), partout 'des grappes de vagabonds et de nègres-sans-manmans jouent au sèrbi avec une tonitruance destinée à choquer les gens de bien' (R 132), et 'il y a la vie et la mort', 'une épaisseur, une manière d'enrageaison' derrière 'ces figures, derrière ces mains inusables qui roulent les dés' ; à n'importe quel moment 'l'éclair bleu-noir d'un coutelas peut jaillir de nulle part', 'tu verras la table faire une sacrée voltige, les dés se dispenser à jamais, les joueurs s'écarter lestement' et 'tu te trouveras seul avec la lame bondissante, prête à te fendre en deux comme on fend une calebasse' (E 272-3). Chaque violation de protocole entraîne une perte d'estime et, 'la honte étant une valeur démesurée dans cette île' (N 26), un geste malencontreux peut détruire à jamais la réputation d'un homme : 'Conçois par conséquent que tu as perdu la face, que plus personne ne soulèvera son chapeau sur ton passage et qu'il te faudra brocanter régulièrement de commune jusqu'à ce que la honte soit enterrée dans les mémoires.' (E 170) Surtout 'les dés par terre c'est le comble de la déchéance. [..] On s'écartera, la bouche empreinte de dégoûtance, pour que tu puisses plonger tes mains dans la poussière et on t'abreuvera d'un rire violent, secoué de hoquets et quand tu voudras remettre les dés en jeu, un major t'empoignera l'avant-bras et te forcera à les jeter (cette fois pour de bon) au-dehors, dans le caniveau qui enserre le marché' (E 276). A la moindre 'dérespectation' de leur vaillantise, ceux qui veulent se faire valoir comme hommes sont 'transformés en petits garçons' et ils garderont 'une rancune-arrache-barbe' à celui qui a 'mis leurs fesses buste nu, comme ils disent' (E 238). Pire encore est l'accusation d'être un ma-commère, sobriquet 'le plus infamant dont on disposât dans nos contrées en ce début de siècle' (A 217). Etre traité d'homme-femme, alors que toute la culture créole masculine est une répudiation du monde féminin, peut entraîner aux pires violences : c'est parce qu'on lui a fait croire - à tort - que Franciane l'a traité publiquement comme ma-commère dont 'les deux graines ne sont pas sorties au-dehors' (E 321) que Julien Thémistocle, la bouche empestée de tafia (E 320), viole celle-ci et, ce faisant, la tue.

Aux moments de grande effervescence sociale, comme le 14 juillet, la vie communautaire devient un jeu de sèrbi généralisé. Au marché de Grand-Anse il y a en début de journée de 'différents territoires' de jeu pour les différents éléments de la population - nègres, nègres-Congo, coulis, mulâtres, et cette catégorie spéciale de femmes dénommées mâles-femmes (voir infra) - qui 'se déferont peu à peu au long de la journée et surtout de la soirée' pour créer une illusion d'homogénéité et d'harmonie où les conflits sociaux et raciaux auraient été transcendés et sublimés par le jeu : ainsi 'le béké de Cassagnac et Congo Laide, deuxième du nom, l'éleveur de coqs de combat, s'affrontent dans une joute qui a commencé il y a trois siècles' (E 206-7). Mais pour le narrateur d'*Eau de Café* ce qui est rassemblé dans 'la comédie de ce jour de fête au marché', c'est 'toute la vérité de ce peuple tien c'est-à-dire son impasse' (E 227) : une foule d'individus réunis pour l'expression et la résolution ludique de ce qui réellement les divise, où, malgré l'apparence de détente et de liesse, 'chacun s'est forgé un masque de dureté, chacun soupèse ses mots comme si le poids de chacun d'eux pouvait faire basculer à tout moment le destin' (E 239). Jugement qui, dans un sens, ne fait que confirmer celui d'Eau de Café elle-même lorsqu'elle dit à son filleul que 'ce n'est pas dans ce manger-cochon que tu apprendras quoi que ce soit' avant de l'emmener chez elle : 'Allons-nous-en sinon demain matin, qu'est-ce qu'on ne va pas encore déblatérer sur mon pauvre compte. Eau de Café fréquente les joueurs de sèrbi! Eau de Café a perdu mille francs contre les nègres-Congo et patati et patata...' Dans la réaction d'Eau de Café au sèrbi surnage encore une fois la tension qu'il y a entre culture créole féminine et culture créole masculine : l'on ne s'étonnera pas que, sitôt sa marraine endormie, le narrateur '[regagne] à la hâte le marché où les dés vont rouler-mater avec plus de hargne' (E 208-9), tant est forte l'emprise de l'agon ludique sur l'imagination de l'homme martiniquais....

c)   *Laghia de la mort*[12]

Au delà du sèrbi et des dominos[13], et d'un tout
autre ordre d'intensité, car il peut s'y agir littéralement
de vie ou de mort, est 'la danse-combat du damier' (E
159) dont la violence stylisée, avant d'être réduite, en
'macaquerie pour voyageurs métropolitains' (N 168,
voir A 266) par l'interdiction, après-guerre, de
l'élément de combat, a constitué un des moments
forts de la vie communautaire martiniquaise, chaque
habitation, village ou quartier de ville ayant son fier-à-
bras chargé de soutenir sa réputation et son honneur
face aux défis que ne manqueraient pas de lui lancer
des adversaires venus de près ou de loin.[14] Il y a dans
les romans de Confiant toute une galerie de
champions de damier : Thimoléon qui, malgré son
âge, demeure 'un fier-à-bras redouté pour son agilité
au combat du damier et personne n'ignorait qu'il
disposait d'un coup secret qui avait jeté bas plus d'un
fort-en-gueule de Grand-Anse, de l'Ajoupa-Bouillon et

---

12   Cf le recueil de nouvelles de ce titre de Joseph Zobel
(Présence africaine, 1978).

13   Rigobert ne joue pas au sèrbi, mais il est 'très chatouilleux
sur sa légendaire invincibilité aux dominos' (N 33), alors que
Tersinien est 'un véritable nègre d'En-ville, digne d'aller cogner les
dominos avec les champions des Terres-Sainvilles' (A 269); comme
au sèrbi, tout ici est théâtral, emphatique, extériorisé, les joueurs
'cognant des dominos avec une violence démonstrative' (A 339) sur
la table même lorsqu'il s'agit d'une veillée de mort.

14   Pour le laghia-damier, voir Josy Michalon, *La Ladjia.*
Origine et pratiques (Editions caribéennes, 1987) et surtout *Asou*
chimen danmyé. Propositions sur le danmyé, art martial
(Association Mi Mès Manmay Matinik (A.M.4), sans date).

de Basse-Pointe' (E 125), Bérard qui, jeune encore, 'avait levé-fessé par terre deux grands maîtres du damier à Basse-Pointe et Macouba' et dont le 'retourné du dos du pied gauche commençait à être redouté, mes amis' (E 298), et surtout Rigobert dont le combat homérique avec Barbe-Sale, 'le géant qui servait de fier-à-bras aux habitants du quartier Volga-Plage et dont les défins avaient fait trembler tous ses alter ego de Fort-de-France, sauf Rigobert' (N 116) constitue un des moments culminants du *Nègre et l'Amiral.*

Tout dans cette 'joute' (E 172, 241) parfois mortelle est structuré comme une langue, du 'défi traditionnel' qui l'inaugure - 'Que celui qui se sent vaillant lève la main!' - et des 'grands gestes pleins d'emphase' avec lesquels les rivaux se confrontent (N 165) jusqu'au répertoire de mouvements d'attaque et de défense qui fait du damier un dialogue de corps en même temps qu'un combat, en passant par le tambour - ce n'est pas pour rien qu'on dit d'un tambourineur qu'il fait 'la peau de cabri parler français' (E 241, voir A 39) - qui donne l'impulsion à la chorégraphie du rite : 'une fois le damier entamé, c'est le tambour qui commande' (E 240), et il faut avant tout ne pas 'dérespecter les ordres du tambour et s'exposer ensuite à une faillite interminable comme cela était arrivé à maints nègres à forte tête' (N 166-7). Tout combat de damier commence avec l'entrée en jeu d'un des majors qui, entouré d'une 'sorte de respectation sacrée' (N 166) aux yeux de la foule qui se forme, lance des 'Te voici, me voilà!' de plus en plus provocants, 'jusqu'à ce que, accablé sous les regards effilés par la réprobation, tu te décides à entrer dans la ronde toi aussi' (E 240). C'est ainsi que, 'plein de dièse et de prestance' et provoqué par 'l'allure faussement altière de ce chien-fer de Maxime Saint-Prix', Tersinien, 'théâtral', traite celui-ci de 'chef-verrat', quitte à subir la riposte 'Verrat moi ? J'ai dérespecté ta mère ou quoi ?' (A 267), alors que, devant les algarades de Barbe-Sale, dont les supporters de Volga-Plage hurlent 'Fesse-le par terre pour nous, oui! Fesse-le une fois pour toutes!', Rigobert comprend très vite 'qu'une telle insolence méritait châtiment, ou alors il s'exposait à perdre son titre de major de Morne Pichevin. Il ne serait plus qu'un caca de chien que même les femmes et la marmaille pourraient gouailler comme bon leur semblerait'. (N 167)

Rien, donc, de plus grandiose que 'l'épreuve de la danse-combat du damier devant ce peuple tien', car il y va non seulement de ta propre réputation, mais de celle de tes femmes, tes enfants, tes parents (et surtout de ta mère), enfin de toute la communauté dont tu es à la fois le héros et l'éventuel bouc émissaire. 'Tu seras seul face à ta vie ou à ta mort', et il faut à tout moment '[capturer] le regard de l'adversaire dans le tien avec le maximum de violence' et, devant l'ancestralité inouïe' de ses gestes, 'lui montrer que ton corps est plus fort que toutes les ironies du mal-sort' :

> Vous voilà deux poteaux! Deux
> taureaux-maître-savane qui ont été
> retenus net par les cornes! Instant
> sublime qui imposera un silence d'église
> au sein du marché, minutes
> interminables, plus longues que le
> Mississippi, qui te rongeront le coeur
> afin de t'éprouver et feront couler des

avalasses de sueur sur tes tempes.' (E 240-2)

C'est ainsi que, face à Barbe-Sale, Rigobert atteint 'à l'extase du dédoublement, stade décisif de cette danse de la mort qu'est le damier' et voit 'son adversaire vaciller sous l'effet d'un coup au foie et trembler quand le vent soulevé par son talon effleura ses deux graines'. Couvert de sueur comme 'd'une écharpe protectrice qui lui donnait un sentiment d'absolue invulnérabilité', c'est maintenant à Rigobert 'de parader autour de Barbe-Sale, offrant sa figure exaltée aux applaudissements de la foule et son dos au lutteur déboussolé'. Puis, afin de porter l'humiliation de son rival à son comble et pour voir si 'monsieur continuerait à se cambrer devant le monde avec son air impérial', Rigobert va jusqu'à 'prononcer le véritable nom de Barbe-Sale sur la place publique' et révèle le Jean Placide caché sous le surnom belliqueux de major.[15] Réduit à une 'stupéfaction absolue', l'ex-Barbe-Sale 'se figea sur lui-même' et 'se confondit avec son ombre', et ses supporters déconfits l'emmènent 'loin de la fête des Terres-Sainvilles, où il était venu faire soi-disant la gueule forte et était reparti drapé d'hébétude comme une momie' (N 167-8). La renommée de Rigobert et du Morne Pichevin en est rehaussée d'autant, mais Barbe-Sale gardera longtemps rancune à sa place, et c'est lui qui dénoncera Rigobert aux autorités vichyistes,

---

[15] 'La force d'un homme est dans son nom [..], si tu livres ton nom sur la place publique, c'est ta force que tu dilapides, compère.' (N 129)

l'obligeant ainsi à 'livrer le premier vrai combat de damier de son existence' (N 171) contre un adversaire bien autrement menaçant, l'Amiral Robert et ses sbires.

d)   *Crieurs, baliverneurs et maîtres de la parole*

Pour participer au damier, il faut, bien sûr, être un spécialiste de la lutte, mais dans les rivalités-amitiés de la vie quotidienne, le Martiniquais moyen dispose d'une arme de choix qu'il manie avec toute la dextérité et provocation d'un maître des dés et, le cas échéant, toute l'agressivité tonitruante d'un champion de damier. Cette arme à la portée de tous n'est autre que la parole, que ce soit la parole créole ou la parole française, laquelle vaut dans la vie martiniquaise moins par ce qu'elle dénote que par ce qu'elle connote, surtout en ce qui concerne la prouesse et l'honneur de celui qui la profère. Parole qui est par nature et nécessité une parole proliférante, emphatique, ou, comme le dit Confiant, 'heureusement enceinte d'elle-même dans la bouche des nègres' (N 125), car on parle pour parler et non pas pour dire quelque chose, le Martiniquais aimant surtout à 'fabriquer des discours grandiloquents qui ne sont en fait adressés à personne en particulier' (A 135). Pour 'ceux qui parlent, qui parlent, qui parlent', 'se taire équivaudrait à périr' (E 109), tant il est vrai que 'le nègre vénère tant la parole et maudit le silence' (E 294). Pour le Martiniquais parler est une nécessité viscérale proche du désir charnel - les vieux, par exemple, 'ont besoin de la parole comme ceux de ton âge de la coucoune de la femme' (E 275) - et est un peu pour les hommes ce que sont les enfants pour les femmes : 'Si la femme a le don d'enfanter, l'homme possède celui de jongler avec les mots et d'en tisser de fabuleux récits' (E 282). En fin et même en final de compte, 'tous les nègres [..] parlent pour eux-mêmes' (E 327), comme Rigobert qui 'parla, il parla, il parla, tant et tellement qu'il déparla, ce qui signifie que ses mots se tournèrent à l'envers et qu'il s'abîma dans un intarissable délire' (N 206). Le délire verbal analysé par Edouard Glissant n'est enfin qu'une forme pathologique d'un culte primaire du Verbe.[16]

A première vue, c'est surtout et peut-être seulement la maîtrise du français qui vaut à celui qui la déploie honneur et respect, étant donné 'le goût invétéré des nègres de céans pour le français plein de gamme et de dièse' (A 184). Etre 'mentor en français' (E 201) vaut bien être champion de sèrbi ou manieur redouté de jambette effilée ou de bec de mère-espadon. Monsieur Jean, par exemple, possède 'ce français pompeux qui avait le pouvoir de terroriser ceux dont la langue était plus familière du créole' (A 240), et le prestige de maint politicien local, surtout d'Aimé Césaire lui-même, réside en grande partie dans son pouvoir de 'manier le français mieux que les Français eux-mêmes' : 'Un nègre qui prenait les Blancs en flagrant délit d'incorrection langagière était intouchable' (A 110). Il arrive même aux Sénateurs de l'Allée des Soupirs, eux qui profèrent des 'sentences ampoulées dans un français si-tellement extraordinaire' (A 14), à en vouloir aux Métropolitains 'de parler d'une façon inélégante et argotique, parfois

---

16 Voir l'article de Glissant, 'Sur le délire verbal "coutumier"' dans *Acoma*, 4/5 (1973), 49-68.

insultante à l'égard de le bienséance grammaticale' (A 124). Toute l'histoire martiniquaise a été une lutte livrée par et autour de la parole : 'la classe mulâtre avait vaincu celle des Blancs créoles par le Verbe avant tout' (A 111), et même les 'brigandagerie', 'craintitude' et 'dégoûtation' qui émaillent le 'beau français-France' (E 302) tel qu'il se parle aux Antilles sont, dans un sens, 'notre revanche sur eux', les Français de France qui 'n'avaient qu'à ne pas nous enseigner leur langue, on ne leur avait rien demandé, tonnerre du sort!' (A 316) Mais cette 'enflure de la parole' (A 377) se retrouve dans le créole comme dans le beau français-France, lequel est moins une forme d'aliénation linguistique, comme une analyse simpliste incite à le croire, qu'un transfert dans le français de quelque chose qui existe déjà en créole : aussi le plumitif mulâtre Romule Casoar est-il 'plus nègre dans l'âme qu'il ne voulait l'admettre étant donné son goût immodéré pour les termes sonores' (A 324). Non seulement 'le Martiniquais est un grand fabriqueur de mots' (A 183) que ce soit en français ou en créole - Rigobert injurie Dieu et la Vierge Marie 'dans un créole de son cru qui forçait l'admiration des vieux du quartier' (N 14) - mais il n'est jamais aussi créole que lorsqu'il parle 'haut et fort dans un français [qu'il voudrait] grandiose et qui [n'est] que grandiloquent et bourré de fautes' (N 35), comme la magnifique volée de subjonctifs imparfaits - *possédassions*, *procédassions*, *expulsassions*, *imitassions* - qu'on sort un 14 juillet à Grand-Anse (E 230)....

Comme il y a des spécialistes du sèrbi et du damier, il y a bien sûr des spécialistes de la parole, tels ces 'prestigieux conteurs et maîtres de la parole descendus des mornes d'alentour' (N 209) qui

236

apportent leur parole marronne à la veillée des morts, et parmi lesquels nous retrouvons Solibo qui 'entama une parole si-tellement émerveillable qu'on l'écouta jusqu'au devant-jour bouche quasiment bée' (A 344). Puis il y a les diseurs de devinette, dont Rigobert lui-même, qui savent, comme les conteurs, soutenir un va-et-vient passionnant avec leur public (N 78), et les autres formes de défi verbal qui autorisent 'des jeux de mots en cascade' (N 128) dont le créole ne tarit jamais. Y font écho les 'belles paroles zailleuses' (A 217) de ce 'maître-pièce en séduction et en balivernages' (A 343) qu'est Eugène Lamour qui, chaque année, réussit à 'couler' ou à 'tourner' la reine du carnaval grâce à la doucereuseté de ses *chérie-doudou-darling* (A 99). Enfin Monsieur Jean et Jacquou Chartier entretiennent au bar de Chine des 'joutes verbales' à n'en plus finir qui consistent à 'brocanter des phrases emphatiques et sibyllines' (A 379), jeu dans lequel la 'verbe intarissable [du] Blanc-France avait donné le pion aux beaux parleurs des Terres-Sainville', incitant - honneur-et-respectation l'oblige! - 'les tafiateurs et autres bambocheurs invétérés du quartier' à se venger ce 'bailleur d'emmerdations' (A 177) et de son 'foutu caquet' en le traitant à qui mieux mieux de blablateur, jaspineur, hâbleur, baragouineur, bavardeur, paroleur, jargonneur, jacoteur, bagoulard, brimborioneur, et ainsi très rabelaisiennement de suite.... Mais avant tout il y a ces professionnels de la parole que sont les crieurs de magasin, ces 'maîtres des rues' aux 'grandes envolées lyriques' (N 15) dont 'la cacophonie des appels au client' entraîne 'une foultitude de monde comme enivrée par le charme des crieurs et la chatoyance des tissus' (N 19) pour 'le seul plaisir de se douciner les oreilles' (N 24). Dans la 'corporation des crieurs' (N 18), la place d'honneur revient à Julien Dorival dit Lapin Echaudé, 'un bougre qui vivait de son cri' (N 205), qui, pour relever un défi, a crié sans discontinuer pendant trois jours de suite 'avec une virtuosité qui étouffa les velléités rivalisatrices de ses confrères' jusqu'à ce que Rigobert lui inflige une 'dévergondation populaire' telle qu'il demeure 'planté à l'entrée du magasin où il avait établi sa gloire comme un pantin de carnaval en attente d'être brûlé' (N 24-5). A côté du conteur avec sa 'parole cristalline' (A 346), le crieur, ce bougre 'comme qui dirait enchaîné à une parole sans fin' (N 24), est le héros de cette civilisation de la Parole agonique qu'est la Créolité. 'Où sont nos maîtres de la parole du temps de l'antan ? Où, en quel lieu, gisent leurs trésors langagiers ?' demande Cicéron Nestorin (A 133), lui-même un 'champion en éloquence' (A 192) digne du prénom qu'il porte. Peut-être dans le romancier ou marqueur de paroles lui-même, dont on pourrait dire, comme il le dit, lui, du crieur Marcellin Gueule-de-Raie qu'il 'n'avait qu'une seule et unique amante : la Parole.' (A 157)

5) Créolité d'hommes, Créolité de femmes

Il y a donc une culture du jeu, de la lutte et de la parole qui semble embrasser, en des formes certes distinctes et selon des intensités sans doute inégales, l'ensemble de la population masculine de la Martinique des békés aux nègres en passant par la 'mulâtraille', les Syriens et les Indiens, seule la petite bourgeoisie noire et francocentrique y étant relativement étrangère. Culture masculine dont les trois éléments - le ludique, l'agonique et l'(em)-phatique - forment un tout et dont 'les gestes et les incantations' témoignent à la fois d'une 'haïssance qui impose la distance avec autrui' (E 325) et d'un désir symétrique de se mesurer avec lui en des formes de lutte pour la plupart stylisées qui restent en deçà de la violence physique et qui valent honneur et respectation à celui qui y gagne et déshonneur et dérespectation à celui qui y perd, la rivalité devenant ainsi le principe même de la sociabilité masculine créole. *Tous* les hommes, ou presque, dans les romans de Confiant souscrivent d'une façon ou d'une autre à cette culture, voire à ce culte, de la réputation personnelle, quelles que soient leurs affiliations de race et de classe, et il n'y a pas, à cet égard, beaucoup de différence entre le béké Henri Salin du Bercy, ce 'bambocheur effréné', 'amateur de combats de coq', 'redoutable bretteur' et 'trousseur de mulâtresses' (A 62)[17], le nègre Thimoléon qui 'comme tout major qui

---

17 Cf le jeune béké Duvert de Médeuil qui 'jouait au bridge avec les Blancs-pays, au baccara avec les Syriens, à la belote avec les mulâtres, aux dames avec les chabins, aux dés avec les nègres, aux dominos avec les coulis et au mah-jong avec les bâtards-

239

se respecte [..] coquait plusieurs femmes à la fois et possédait quasiment un droit de vie ou de mort sur elles' (E 126), le mulâtre Julien Confiant qui provoque un béké en duel rien que pour avoir passé devant lui 'sans le saluer ni même prendre sa hauteur' comme si lui, 'le talentueux politicien radical-socialiste qui avait repris le flambeau de l'avocat Marius Hurard', n'avait été que 'du caca de chien' (N 60) à ses yeux, l'Indien René-Couli également renommé comme tafiateur et pour sa 'dextérité inouïe dans ses sacrifices de Bondieu-couli' (E 118) et qui, après un sacrifice manqué, craint de n'être 'plus rien aux yeux des hommes de sa race, plus rien aux yeux des autres hommes qui avaient recours à ses services' (E 128) ou enfin le bâtard-Syrien Ali Tanin, 'le collectionneur le plus invétéré de mamzelles de tout le nord du pays puisqu'il était craint de la presqu'île de Tartane à Grand-Rivière et s'en vantait en plus' (E 25). 'Qu'étaient ces créoles ?' se demande l'Amiral Robert lors d'un rendez-vous avec Salin du Bercy, tant il est frappé et par leur dissemblance d'avec les Français et par leur ressemblance entre eux : 'En dépit de leurs tiraillements féroces, pourquoi participaient-ils d'un même mode de penser ?' (N 259) S'il s'établit d'emblée entre du Bercy et son chauffeur noir une 'connivence secrète [..] par le biais du langage créole' (N 260), il y a une complicité plus large due au fait que tous les hommes créoles tafiatent, coquent, se gourment et se soucient avant tout de leur honneur et respectation face à autrui, ce qui fait que, de du Bercy à son chauffeur, il y a moins de distance que de celui-là à

Chinois et il perdait, perdait, perdait comme quelqu'un qui charroie de l'eau dans un panier' (N 59).

Robert et, surtout, de du Bercy et de son chauffeur à leurs femmes respectives.[18] Bref, grâce à la proximité physique et culturelle qui, par delà les distances de race et de rang, a relié leurs ancêtres (voir A 87), du Bercy et son chauffeur trempent dans une même culture créole masculine à expressions diverses qui les distingue à la fois des Français de France et, comme nous allons le voir, des Martiniquaises.

S'il semble exister une culture créole masculine relativement homogène, il y a, face à elle, une culture créole féminine qui, pour être plus divisée selon la race et le rang, n'en possède pas moins certains traits en commun qui la distinguent, sans, bien entendu, la séparer complètement, de la culture de la réputation propre aux hommes. Ce qui donne son unité relative à la culture des femmes, c'est d'abord la religion à laquelle les hommes sont indifférents ou, dans le cas de Rigobert et de Fils-du-Diable-en-Personne, activement hostiles, mais qui, pour la plupart des femmes, est une préoccupation majeure de tous les jours. Si elles ne pratiquent toutes pas (à cause, surtout, de la nécessité de se confesser avant de 'manger le Bondieu'), elles respectent l'Eglise, ses rites et, sauf exception, ses prêtres (voir E 51, 305, etc.), elles prient (E 120, etc.), elles ont souvent un rosaire à portée de main (E 18, 304, A 345, N 115, etc.) et elles s'entourent couramment d'objets et d'images religieux, telle une reproduction de la Cène (E 317), une statue de St. Martin de Porès (E 14, N 64), une palme de

---

18   Selon *Commandeur du sucre* (1944b : 254), 'le Blanc-pays est en fait un nègre au plus profond de sa chair, même s'il s'affirme cousin du Blanc-France.'

samedi-gloria (E 42), et ainsi de suite; Eau de Café a même 'maquillé un coin de sa chambre en un vaste autel où ne manquaient ni encensoirs ni chandeliers' et où, s'étant brouillée avec l'abbé de Grand-Anse, 'elle se disait à elle-même la messe avec cette souveraine effronterie caractéristique des femmes créoles du temps jadis' (E 286). Ce qui n'empêche pas, bien sûr, les femmes d'avoir recours aux quimboiseurs, aux séanciers et même au Bondieu-couli (E 129) ou d'être séancières elles-mêmes (E 30), mais qui les situe dans un espace culturel intermédiaire entre la culture essentiellement séculière des hommes et la culture catholique en fait sinon en droit hégémonique dans le pays, proches et distantes et de l'une et de l'autre, mais orientées idéalement dans la direction de celle-ci.

Il en va de même en ce qui concerne la langue. Si les femmes ne sont pas nécessairement plus francophones que les hommes, elles ont encore plus que ceux-ci le culte du beau français-France dont elles raffolent au point que, lorsque Monsieur Jean fait un discours en l'honneur d'un mutilé de guerre de retour au pays, il y a 'deux évanouissements féminins à cause de la chaleur du français' (A 141, voir aussi A 14, N 39, 134, etc.). 'Palé bel fwansé Fwans ba nou', dit une femme à un autre ancien combattant (N 304), tandis qu'une deuxième répond aux avances de Rigobert en lui disant, 'Parle français! Si tu parles français, je suis prête à t'écouter, mon nègre' (N 20) ; même Eau de Café, qui parle 'un jargon mi-créole mi-français' (E 35) est fier que, grâce à son filleul, 'il y aura un monsieur qui sait parler français à son enterrement' (E 133). Non seulement les femmes sont susceptibles au 'beau français de là-bas' (A 161, voir aussi A 28, 55, 177, 220, etc.) mais elles font tout ce qu'elles peuvent pour le faire enseigner à leurs enfants dont c'est à elles de surveiller l'éducation soit seules soit 'malgré les mines renfrognées du père qui, trop souvent absent (il avait d'autres femmes et d'autres marmailles à sa charge), sentait là un défi à son omnipotence' (N 36).[19] C'est la mère, en alliance avec l'institutrice et la directrice d'école, qui, plus que le père absent, indifférent ou hostile, essaie de détourner ses enfants - ses fils surtout - de la langue créole et de la culture masculine de la rue qui y est associée :

> Ne t'abaisse plus à parler créole, ne
> perds pas ton temps à jouer aux agates
> toute la sainte journée, ne mets pas tes

---

[19]   Analyse que confirme une lecture de *Chemin-d'Ecole* de Patrick Chamoiseau où l'on apprend que 'les plus enragées des manmans vénéraient l'institution scolaire' (Chamoiseau 1994 : 118) et que sa propre mère 'semblait conférer à l'école une autorité suprême' : 'Elle exécutait avec un tel soin les exigences écolières de ses enfants que cela semblait être l'ultime sens de sa vie.' (98) Par contre, 'le Papa regardait ce phénomène de loin. L'école ne lui paraissait pas un lieu déterminant. [..] Le savoir du négrillon ne lui paraissait pas pertinent.' (42-3) Selon Victor Sablé (1993 : 117), lors des élections de 1945, 'des groupes de femmes, marchandes de poissons, charbonnières de la Transtlantique, bonnes, servantes, ouvrières, Matadors et Titines, jeunes et vieilles, toutes fières de voter la première fois, parées de madras multicolores, de colliers d'or et de broderie anglaise, criaient "Vive de Gaulle, Vive Césaire". Elles se faisaient invectiver par des militants fidèles aux idoles d'avant-guerre et ripostaient en riant : "Nous allons voter pour la grammaire"!' Le même auteur nous informe (55) que les femmes-matadors de l'entre-deux-guerres 'n'avaient d'admiration que pour ceux qui maniaient la langue française avec le plus d'éclat' et que sa propre grand-mère 's'exprimait peu en français, mais n'aimait pas m'entendre parler créole' (43). Pour toute cette question, voir Burton 1994 : 214-8.

mains dans la terre; ça salit le dessous des ongles, ne va pas à la pêche aux écrevisses le jeudi : ouvre plutôt les cahiers. C'est ta seule et unique chance d'échapper à la déveine, mon petit. Toi au moins tu mérites le titre de Français. Lamartine, Victor Hugo ou Verlaine n'auraient pas eu honte de toi. Je vais te pousser au maximum.

Il s'ensuit qu'à chaque niveau de la société martiniquaise de couleur, ce sont souvent des figures féminines qui représentent pour l'enfant le français, la France et toute la force de la francisation - assimilation qui est forcément hostile au créole et à la culture qui s'y rattache.[20] C'est donc la mère et non pas le père de Cicéron Nestorin qui lui interdit de parler créole (N 88-9, A 33) et qui, ce faisant, ouvre la voie au délire verbal auquel il va succomber adulte, tout comme c'est la mère adoptive d'Ancinelle qui 'nous demandait de ne pas parler créole parce qu'une salissure comme ça ne devait pas sortir de la bouche de jeunes filles pauvres mais bien élevées' (A 161). A cheval entre le créole et le français, mais portée à s'identifier subjectivement avec celui-ci, la mère et, plus largement, la femme martiniquaise habite un espace culturel ambigu qui souvent fait d'elle une force objective de *décréolisation*. Paradoxe, d'ailleurs,

---

[20] Ainsi dans *Ravines du devant-jour*, c'est une institutrice 'noire comme un péché mortel' qui représente le français et la France aux yeux du jeune Confiant et qui constitue la première influence créolophobe dans sa vie : 'Tu détestes le francais-France qu'elle veut te contraindre à parler [..]. Tu ne veux plus t'exprimer qu'à travers le créole et elle te déclare la guerre.' (R 66)

qui s'inscrit au coeur de la société créole comme du mouvement de la Créolité lui-même : plus la mère est créole plus elle souhaitera que son fils soit 'français', plus celui-ci est francisé plus il soupirera après une créolité perdue. Idéologie à tendance matrifocale tout comme l'assimilationnisme et la négritude auxquels elle s'oppose, la Créolité focalise une figure maternelle tiraillée elle-même entre la réalité du créole et le rêve du français et qui est souvent à l'origine du 'problème d'identité' auquel elle est censée pouvoir porter remède.[21]

Cette ambivalence de la femme créole se manifeste en outre dans ses préférences esthétiques et surtout sexuelles. A Grand-Anse les négresses lisent les photo-romans français (E 216) et rêvent d'amour-France et de robes-France tout à la fois (E 24). Il y en a qui se 'lissent' les cheveux, convaincues qu'elles vont 'bientôt ressembler à Martine Carol, oui!' (A 160) ; il y a même une 'putaine' de la Cour Fruit-à-Pain 'qui se défrisait au fer chaud matin, midi et soir, "en haut comme en bas" précisait-elle, "car les clients n'aiment pas le fil de fer"' (N 53).... Mais de telles pratiques ne sont que des symptômes assez velléitaires d'une connivence plus profonde entre les négresses et les Blancs, surtout les Blancs-pays, que, fort audacieusement, Confiant fait remonter à l'esclavage, 'puisque, dès le premier jour, nos femmes ont partagé

---

21   Sur le rôle fondamental joué par les Martiniquaises de couleur dans les procédés multiples de l'assimilation culturelle, linguistique, religieuse et politique, on lira avec profit l'étude de Monette Carême-Liénafa, *Femme et Mutualité à la Martinique 1893-1993* (1994).

la couche des maîtres blancs soit de force soit par séduction, et puis, il faut l'avouer, on espérait en secret que de fouailler dans la noirceur brûlante d'une coucoune crépue, ceux-ci en deviendraient plus compréhensifs envers nous' (E 283). Si donc 'les femmes des races inférieures et des peuples vaincus sont faites pour être baisées', comme le dit brutalement le béké de Maisonneuve (N 176), Confiant suggère, par le truchement de certains de ses personnages, qu'à force de se modeler sur l'image que s'en sont formée les Blancs, les victimes sont devenues les complices volontaires ou involontaires de leur propre exploitation : 'Ici, le phantasme du colon a toujours consisté à transformer la femme de couleur en une matador, une sorte de créature lubrique essentiellement vouée à la séduction. Nos femmes sont tombées dans la trappe à leur tour, hélas, trois fois hélas!...' (N 92). 'L'amour nègre' serait donc une invention de Blancs (N 211), tout comme 'notre lubricité naturelle de créoles' (E 64) et 'cette luxure bonhomme qui est si particulière à notre sexualité' (E 101) : la femme créole se modèle selon le phantasme du Blanc, en intériorise les valeurs et les transmet à ses enfants, qui les reproduisent à leur tour, et ainsi de suite. Aucun personnage, masculin ou féminin, dans les romans de Confiant n'arrive vraiment à sortir de ce cercle sexuel vicieux.[22]

---

[22]   Cf par contraste le refus de Monsieur Jean de 'mettre une-deux-trois négresses en case, sans jurer fidélité à aucune d'elles et leur faire une tiaulée de marmailles pour qu'elles restent tranquilles. *Je ne voulais pas adopter le comportement des planteurs békés....*' (A 46, c'est moi qui souligne.)

Situation donc complexe au dernier degré que celle des femmes créoles de couleur dont Eau de Café est ici la personnification vivante. Plus proches dans leurs idéaux et leurs rêves de l'Eglise, de l'école, du français et du Blanc-France que ne le sont la plupart des hommes créoles de couleur, et entretenant avec le Blanc-pays une relation historique des plus ambiguës[23], les femmes n'en possèdent pas moins des ressources psychologiques et culturelles qui leur permettent, relativement à leurs hommes, de 'se ménager un monde à part, bien à elles, qui les met à l'abri de la désespérance qui les guette, eux, tout soudain' (E 114). La culture créole féminine est certes une culture oppositionnelle, même une culture de combat, mais ce à quoi elle s'oppose d'abord, c'est la culture créole des hommes dont les quatre éléments - le tafia, le jeu, la parole, le conflit - ne peuvent que menacer la survie de la famille à laquelle surtout elles tiennent. Mais la culture féminine est aussi, et cela très profondément, une culture de la parole[24] - 'je ne

---

[23] Même Eau de Café garde un 'faible inexplicable' pour le béké de Cassagnac qui a été l'amant de sa mère (E 40) et fait ses séances 'exclusivement pour les Blancs créoles' (E 37). Selon *Commandeur du sucre* (1994 : 256), les 'vieilles négresses' sont 'toujours portées à considérer tout homme blanc plus jeune qu'elles comme leur fils', en partie parce que 'la plupart d'entre elles [..] avaient eu l'occasion d'allaiter des nourrissons békés'. Sur la situation ambiguë de la da, voir N 245 et E 77, 191, 283, etc.

[24] Ainsi pour les femmes qui aiment 'maquereller toute la sainte journée sur les faits et les gestes d'autrui', voir E 55, A 20 etc., le Banc des Bourelles à la Savane étant l'équivalent féminin du Banc des Sénateurs (A 131 etc.) comme Cécilia Saint-Hilaire, 'la championne en médisance des Terres-Sainvilles' (A 34), l'est du 'maître phraseur' masculin (N 39). Cf aussi E 37 : 'La séancière

247

mettrai pas de corde-mahault à mon causer', insiste Eau de Café, 'car [..] il enchante mes compagnes de sueur' (E 96) -, de la lutte - contre les hommes et le sort, plutôt qu'entre elles-mêmes - et de la réputation entendue dans le sens non de la vaine gloriole ou du culte du moi mais dans celui, bien plus profond, de 'la vie de négresse qui tient tête et se débat avec la vilainerie sans faillir, sans mollir' (E 114). C'est ainsi qu'à force d'effort, de courage et de résistance soutenue, une femme arrive à se faire respecter et des autres femmes et des hommes non comme femme-matador - titre qu'Eau de Café refuse car il 'grafigne ma fierté' (E 99) - mais comme 'mâle-femme' ou 'mâle-négresse' (E 54, 112 etc.) qui a su réunir en elle-même ce qu'il y a de meilleur dans les cultures féminine et masculine à la fois. Si Franciane, la mère d'Eau de Café, finit par s'imposer comme 'négresse-aux-grandes-manières', c'est surtout parce qu'elle fait preuve du 'don de la parole, chose ô combien surprenante pour une femme' (E 282), alors que sa fille a 'la langue si bien pendue qu'elle se permettait même de décontrôler en public les paroles des deux fiers-à-bras de Grand-Anse, en particulier Major Bérard' (E 179). '"*Fout i ka vreyé bèl pawòl!*"' disent d'une femme inconnue les veilleurs du cadavre d'Eugène Lamour, 'qu'est-ce qu'elle prononce de belles paroles!' (A 341) : il n'y rien qu'un major respecte plus qu'une 'négresse-majorine' qui 'refuse de baisser la hauteur de son regard lorsqu'un homme la dévisage'

---

fait des séances, ce qui revient à parler, parler, parler et sa parole est révélation.'

(E 116, voir aussi A 219).[25] C'est à une telle femme qu'il finira par dire non pas 'Je t'aime' mais bien 'Je suis content de toi', 'manière de signifier d'emblée que la belleté, la prestance, le charme, tout ça c'est bien joli mais qu'une vraie femme a besoin de plus que ça, notamment un coeur femme pour pouvoir supporter les embûches de la déveine qui guette les descendants de Cham au détour du moindre hallier' (A 358). Il faut l'épreuve du temps Robert pour que Monsieur Jean découvre en sa mère 'une mâle-négresse que les hommes tenaient désormais en solide admiration' (A 93).

Ce n'est donc qu'avec la galopade des ans' que les hommes en viennent à déclarer '"Nos femmes sont fortes, oui, tonnerre du sort!" comme si elles nécessitaient un si tardif compliment, elles qui n'ont jamais entendu de leurs bouches que des moignons de syllabes et, plus souvent que rarement, des insultes d'amateur de tafia' (E 114). Mais les hommes ne voient pas pour autant combien leurs compagnes sont 'amères sans le montrer, déjà vieillies [..], durcies plutôt, aussi dures que la racine du cassier' (E 116) ni combien elles méprisent les hommes et ce qu'Ancinelle - décidément une mâle-femme en voie de formation - dénonce comme la 'légèreté ostentatoire' de leur comportement : 'Aucun d'entre vous n'est le genre d'homme dont je rêve. Je hais au plus profond de moi

---

25   Cf E 95-6 : 'Je ne sais pas parler beaucoup de français mais mon esprit n'est pas engourdi pour cela. Je vois tout, je sais tout, je devine tout et surtout je clame tout haut et fort. C'est la raison pour laquelle vous avez peur de moi et que vous voulez enterrer mes paroles dans ma bouche.'

cette habitude que vous avez de contrefaçonner vos élans. [..] Votre existence ressemble à une tragédie grecque qui serait jouée par des clowns, des Pierrots et des Marianne-la-peau-figue.' (A 371-2) Ethique donc explicitement *anti-carnavalesque* que celle d'Ancinelle, ce qui amène Monsieur Jean à lui dire :

> Vous n'êtes plus la même personne. On dirait que décembre a métamorphosé le dedans de vous-même. Quand je prends votre main, je ne ressens plus la tiédeur suave qui irradiait mon corps tout entier et me rendait lyrique. Au contraire, je vous sens lointaine, froide comme une Savane des Pétrifications. Vous vous écartez de moi sans même vous en rendre compte. Que vous ai-je fait ?

De même Eléonore, la femme du commander Firmin Léandor '[se métamorphose] petit à petit en une négresse-debout, une mâle-femme qui n'avait plus besoin de personne pour conduire sa destinée' (Confiant 1994b : 309), se sépare de son mari, quitte l'habitation et s'en va aux... Terres-Sainville pour se vouer corps et âme à l'éducation de son fils aîné : 'Elle avait réussi à le sauver de la canne, usant de mille ruses pour qu'il ne ratât pas l'école', 'elle ambitionnait même le lycée Schoelcher' (301). A mi-chemin entre la Créolité dans laquelle elle est née et la Francité qu'elle rêve pour ses enfants et surtout pour ses fils, la mâle-femme créole agit donc objectivement comme une influence assimilatrice extérieure sinon hostile à la culture ludique des hommes, situation que résume assez bien le ménage Richard, elle 'championne en français' qu'elle a appris chez des békés de Didier où elle a travaillé comme bonne, lui 'un champion aux dés et "c'est pourquoi, messieurs et dames, je fais les dés parler français!"' (N 34) Merveilleuse antithèse qui souligne à la fois ce qui rapproche et ce qui sépare cultures féminine et masculine à la Martinique. Chacune valorise le français, la Francité et la France à sa façon, mais celle-là est *en général* plus proche que celle-ci des valeurs françaises dominantes que relaient l'Eglise, l'école et les mass-média. La Créolité féminine est à la Créolité masculine ce qu'est le sérieux au jeu, le réel au fictif, le solide au léger, l'ordre à sa transgression carnavalesque, enfin comme le sur-moi au moi et au ça. C'est pourquoi *aucun* personnage masculin chez Confiant n'arrive à se libérer de l'image de sa mère ou de celle qui occupe sa place, qu'il la maudise comme Rigobert (N 14 etc.) ou qu'il la vénère comme 'Angel' : 'le regard vitreux de ma mère ne m'a jamais quitté même si je l'avais enfoui au plus profond de ma mémoire' (A 310). Et ce regard tend à la fin à rejoindre celui de la Mère-Patrie -'As-tu prié pour la France, mon garçon ?' demande Eau de Café chaque Quatorze Juillet (E 205) - pour renforcer le 'cordon ombilical' (A 142) qui relie la 'fille aînée de la France' (A 129) à sa mère ou à sa marraine lointaine. Aussi n'est-il guère surprenant si, plus encore que les hommes, les femmes révèrent ces images ou représentants de la France que sont la Vierge du Grand Retour, Jeanne d'Arc, 'Papa' Robert et surtout 'Papa' De Gaulle en la présence de qui, lors de sa visite de 1960, beaucoup d'entre elles '[tombent] d'évanouissement par grappes ou [s'agenouillent] pour prier' (E 267).[26] Comment s'étonner en plus que 'l'immense cacophonie' (A 378) de décembre 1959 ait été récupérée si facilement par l'ordre dominant lorsqu'avec les éventuelles exceptions de Cicéron Nestorin (mais il est fou), Angel (mais il s'en va, rebuté par 'la déchéance de ce peuple qui était le sien', A 402) et Ancinelle (mais elle rejoint à la fin sa marraine gaulliste à Volga-Plage), aucun des personnages, hommes ou femmes, dans L'Allée des Soupirs n'a su se déprendre de l'image de 'manman-doudou France' dont ils ont été nourris dès leur première enfance ?

---

[26] Il va de soi que l'accueil de la Vierge etc. n'est pas limité, tant s'en faut, aux femmes ; toujours est-il que celles-ci témoignent, à chaque fois, de beaucoup plus de ferveur que les hommes. Pour la visite de la Vierge du Grand Retour en 1948, voir E 141-53, R 114-20 et Burton 1994 : 269-70 ; pour le culte de Jeanne d'Arc ('la maman de la France est parmi nous!') en temps Robert, voir N 109-12 ; pour les femmes et l'Amiral Robert, voir N 254 ; et pour les femmes et De Gaulle, voir E 267-8 et A 400-2. Pour le gaullisme de Philomène, voir A 17. Même Mme Vilmorin, qui annonce qu'elle ne s'appelle plus 'madame de Gaulle' et qu'elle a 'divorcé de lui' depuis que son fils est revenu estropié de la guerre d'Algérie ('Est-ce qu'un papa qui se respecte agit de la sorte, hein ?', A 144) 'se réconcilie' avec lui lors de sa visite : 'Moi-même, de Gaulle a serré ma main et je ne vais pas la laver pendant un mois afin que la chance reste sur ma tête.' (A 404)

6) Roman et carnaval chez Raphaël Confiant

Comment transposer en roman ce que la vie martiniquaise a de carnavalesque, comment trouver, pour tous ces thèmes carnavalesques que nous avons répertoriés, la forme carnavalesque qui leur convienne, comment, enfin, romancer le carnaval et carnavaliser - autant dire créoliser - le roman ? La tâche, pour le romancier créole, telle que, par le truchement de Jacques Chartier, Raphaël Confiant l'articule, c'est de 'dompter la cacophonie créole par la magie du roman' (A 379), c'est-à-dire de trouver une forme, un langage, qui permette d'exprimer la mangrove créole en ce qu'elle a de plus chaotique sans pour autant succomber, d'une part, à la simple incohérence ou, de l'autre, en supprimer la vitalité débordante en la bétonisant sous un ordonnancement romanesque trop étroit. Bref, s'il faut au roman créole, comme à tout roman, une architecture formelle qui convienne à son fond, celle-ci ne peut être qu'une 'architecture disparate' (A 227) comme celle de la case créole que le romancier imitera en construisant son texte 'à l'aide de pans inachevés'. Le 'génie de la case créole', c'est qu'elle 'mêle terre, bois, brique, fibrociment et béton' (A 234) sans se soucier de leurs origines diverses ni surtout du manque d'unité qui en résulte ; de même le roman créole sera une juxtaposition d'éléments hétérogènes qui, s'il ne manque pas de poteau-mitan thématique, ne se préoccupera pas outre mesure d'y relier tous les matériaux qu'il met en oeuvre et en valeur. Tout comme la case créole, le roman créole sera en quelque sorte anonyme. Il sera comme le *Dézafi* de

253

Frankrétienne 'une concaténation de paroles dont on ignore et l'énonciateur et le lieu d'enonciation' (Confiant 1994c : 117), où l'auteur s'éclipsera au profit d'un ou de plusieurs conteurs dont la parole pléthorique naîtra pour ainsi dire d'elle-même. Il n'aura pas un seul héros ou une seule héroïne pour la très bonne raison que 'tout un chacun ici est un héros possible de roman' (A 226), et les multiples personnages qu'il mettra en scène n'auront pas d'intériorité ou de 'psychologie' personnelle ou privée dans la mesure, précisément, où, à la Martinique, il n'y a pas d'existence individuelle, hors du regard et du propos d'autrui', 'l'étroitesse des lieux [faisant] que nous vivons des vies emmêlées, inextricablement nouées. Rien ne peut être caché ou secret.' (A 333) Et, alors que les héros du roman européen, les Lancelot, les Werther, les Thérèse Raquin, sont en quelque sorte 'supérieurs à leur histoire personnelle', ceux du roman créole, Rigobert, Ancinelle, Fils-du-Diable-en-Personne, 'voire même cet insignifiant d'Eugène Lamour', seront en quelque sorte inférieurs à la leur : 'Chez eux, les mille et une péripéties de l'existence, emberlificotées d'inventions et de croyances insensées, pèsent plus lourd que leur misérable petite personne. Leur for intérieur n'a aucune importance'. (A 234) Bref, le roman créole sera le roman de tous ou il ne le sera de personne; mieux, il sera ce 'roman de nous' que, depuis longue date, Edouard Glissant a préconisé et qui, avec *Chronique des sept misères* et *Le Nègre et l'Amiral*, est enfin et pleinement réalisé.

S'il y a une multiplication de personnages, il y aura, au même titre, une multiplication d'histoires, et cela en conformité avec le génie de 'l'affabulation qui est le mode de penser ordinaire du petit peuple créole'.

'Reniant tout cartésianisme', il faut que le romancier créole '[apprenne], à l'instar de Philomène ou de Rigobert, à raconter, avec la véracité troublante de celui qui nie sur le bûcher, trente-douze mille versions d'un même événement. Une fois pris dans cette spirale, il n'y a plus qu'à croire en chacune d'elles successivement'. (N 263) 'Toujours tenté par la divagation' (N 76), tout texte authentiquement antillais 'se développera', comme l'*Anti-Césaire* de Confiant, 'sur le mode du ressassement propre à la pensée créole, et non sur celui de la linéarité propre à la pensée cartésienne (laquelle tient la répétition en horreur)' (1993a : 37). Multiplication, donc, de personnages et d'histoires et aussi, bien entendu, multiplication de langues, de langages et de parlures dont il s'agit de dramatiser les convergences et divergences à chaque page du roman pour faire ressortir la remarquable hétéroglossie qui caractérise le vécu martiniquais. Il y a d'abord chez Confiant une pratique savante de la citation. Textes écrits de toute sorte se juxtaposent et se heurtent dans ses romans : texte du Code Noir (A 149), textes de poètes réels ou fictifs (Césaire (N 98, A 260), Daniel Thaly (A 119), Etienne Léro (N 194), Monsieur Jean (A 83-5, 377)), textes de chansons régionales de France (A 190) et de chants de Noël (A 166, 300), textes journalistiques du plumitif Romule Casoar (en qui les Martiniquais d'un certain âge reconnaîtront le fameux Roland Casimir de *Rénovation*, A 102, 308-9, 354) et du très réel Thomas Roland Gaboly de *La Petite Patrie* (N 220), discours politiques et rapports médicaux du Pétainiste Bertrand Mauville (N 133, A 191), pancartes délirantes que porte Cicéron Nestorin dans les rues de Fort-de-France (A 252-3) et ainsi de suite, textes dont

255

le caractère pour la plupart fabriqué et stylisé à l'extrême évoque à la fois la béance qui, en société créole, sépare l'écrit de l'oral et ce qui - la manie du verbe - les relie malgré tout l'un à l'autre. Au niveau de l'oral, et cela en sus de la question créole-français, Confiant se plaît à mettre en avant les langues minoritaires qui se parlent en société créole : arabe des marchands libano-syriens (A 141, 259), tamoul des 'coulis' indiens, réservé désormais à des fins rituelles (A 159), argot hétéroclite des récents immigrés pieds noirs, tout bourré de 'fatma', de 'macache' et de 'bled' (A 395), espagnol des prostituées de la république dominicaine (N 61). Et puis, à presque chaque page et cinq fois, dix fois, par page, l'emploi systématique de locutions créoles ou calquées sur le créole déstabilise le texte en y introduisant une multitude de dissonances et de failles qui traduisent, au niveau du style, cette 'mosaïque instable' qu'est le vécu créole. Qu'il s'agisse de noms fabriqués de toutes parts (peurisité, dégoûtation, craintitude, vigoureusité), de verbes détournés de leur signification française (espérer), de prépositions et d'adverbes disparates (souvemment, tout-à-faitement, ici-là, en final de compte, etcétéra de fois) et ainsi de suite, le 'français' de Raphaël Confiant est à chaque moment noyauté de créole qui le mine et l'énergise tout à la fois, en le galvanisant d'un rythme percutant et saccadé qui transpose dans le domaine du roman le *Doum-doum-doum Doumit!* du maître crieur Lapin Échaudé (N 15). Le langage du *Nègre et l'Amiral* et de *L'Allée des Soupirs* est carnavalesque en ce sens qu'il est excessif, emphatique, hétéroclite, habité d'une énergie pour ainsi dire *parkinsonienne* qui le tiraille de toutes parts, comme d'ailleurs l'est Vaval lui-même (R 185). Conteur, crieur et maîtrephraseur tout à la fois, Raphaël Confiant est possédé par, plutôt qu'il ne le possède, ce génie de la parole pléthorique en quoi l'on peut voir ce que la Créolité a de plus viscéralement créole. Il parle, et même il déparle, surtout pour faire rire, et sans doute a-t-il, comme Solibo Magnifique, 'tout un lot de paroles à parler encore' (A 345), à la plus grande joie de ses lecteurs et lectrices qui se plairont à reconnaître en lui, bien plus qu'en le trop schématique Patrick Chamoiseau, l'expression la plus vivante du génie de la Créolité.

APPENDICE

Dans une interview publiée dans l'hebdomadaire martiniquais *TV Magazine* (No 277, janvier 1995), je me suis livré à quelques commentaires sur l'optique essentiellement 'nostalgique' ou, mieux, 'rétrospective' qui est celle, selon moi, de la plupart de ce qu'il est convenu d'appeler la littérature de la Créolité, commentaires qui m'ont valu d'être traité de 'bitaco' par Patrick Chamoiseau pour avoir confondu, à son avis, modernité littéraire et modernité sociale (voir *Antilla* 616, 20 janvier 1995). Dans le prochain numéro d'*Antilla*, Raphaël Confiant s'est adressé en plus de détail aux critiques que j'avais soulevées et j'ai, pour ma part, répondu à son article dans *Antilla* 620 (17 février 1995). Voici nos deux textes, reproduits avec l'aimable permission d'*Antilla*.

De la modernité en littérature

Il faut juger la littérature à partir de critères propres à la littérature et non à partir de ceux en vigueur dans la sociologie, l'anthropologie, la psychologie ou le journalisme. Ainsi ne faut-il pas poser la question de la modernité en littérature en termes sociologiques ou historiques, sous peine de ne rien comprendre au fonctionnement même de l'activité littéraire. Tel est le piège dans lequel, me semble-t-il, tombent Richard Burton et bien d'autres. Cela les amène à croire, en toute naïveté, que modernité littéraire et modernité sociologique ou historique sont parfaitement superposables. Or, ce n'est pas du tout le cas. Cela n'a jamais été, en aucun pays, à aucune époque, le cas.

Exemple : Marguerite Yourcenar, auteur du 20e siècle, première femme à entrer à l'Académie Française, fait une littérature cent fois plus moderne que Guy Des Cars ou Philippe Djian. Pourtant ses romans se déroulent tous pendant... l'antiquité romaine, notamment le très fameux *Hadrien*. Or, Guy Des Cars ou Djian parlent de la drogue, du chômage, du Sida et on trouve chez eux des mots comme 'Compact-disque' ou 'CD-Rom'. Pourquoi donc Yourcenar est-elle plus moderne que Guy Des Cars ou Djian ? Parce que la modernité d'un texte littéraire ne se juge ni au thème qu'il aborde ni à l'époque qu'il décrit mais exclusivement au style de l'auteur, à sa vision du monde, à l'univers qu'il a su créer bref à sa construction littéraire proprement dite. Yourcenar nous donne à voir du neuf, nous fait toucher, nous dévoile un pan insoupçonné du vécu et c'est en cela qu'elle est moderne. Bien entendu, il faut admettre que la littérature est la science du vécu comme la biologie est la science du vivant. Si par contre, on s'imagine que la littérature est un appendice ou une excroissance de l'histoire, de la sociologie ou du journalisme, à ce compte-là, n'importe qui peut se prévaloir écrivain.

Djian ou Des Cars sont des ringards du point de vue littéraire. Ils n'apportent rien de nouveau sur ce plan-là et utilisent des recettes en vigueur dans le roman français depuis plus de deux siècles. Ce sont peut-être de bons journalistes ou d'honnêtes sociologues mais de bien piètres écrivains. Et on pourrait multiplier les exemples à l'envie : Alejo Carpentier n'est-il pas moderne parce qu'il écrit *Le Siècle des Lumières* dont l'action se passe au 18e siècle ? Garcia Marquez ne l'est-il pas parce qu'il écrit la vie de Bolivar ? Et que dire d'un des plus formidables romans du vingtième siècle français, *Vendredi ou les limbes du Pacifique* de Michel Tournier ? Reprise du thème de Daniel Defoe, l'histoire est censée se dérouler au 17e siècle.

Donc quand Richard Burton déclare à TV Magazine que Chamoiseau et Confiant sont arrivés au terme de leur logique littéraire ou qu'ils ont épuisé leurs thèmes de prédilection tous centrés autour du monde de la plantation, il commet une grossière erreur d'appréciation. En effet, pour un écrivain, aucun thème n'est jamais épuisé, aucune époque n'est jamais définitivement explorée parce que précisément le but de l'activité littéraire n'est pas de faire des exposés sociologiques ou historiques mais bien d'inventorier les innombrables facettes du vécu. En ce sens, il y a et il y aura toujours des romans qui auront pour cadre la Rome Antique ou le Moyen-âge européen. Et d'ailleurs une question à Richard Burton : Umberto Eco n'est-il pas moderne parce que *Le Nom de la rose* se passe dans un couvent moyenâgeux ?

En quoi, cher Burton, le monde de la Plantation serait-il épuisable et pas celui de la Rome antique ou celui du Moyen-âge ? En quoi ? Non, aucun vécu n'est épuisable, le vécu est inépuisable et un jeune de Dillon qui vit dans un HLM et n'a jamais vu un pied de canne à sucre autrement que par la portière d'une voiture, est tout à fait capable d'écrire un roman formidablement moderne qui se déroulerait pendant l'esclavage. Ou alors, il faudrait croire que les nègres sont plus bêtes que les autres. Yourcenar vivait à New-York et fut capable d'imaginer la vie des empereurs romains; Umberto Eco vit dans l'ultra-moderne Milan et est capable imaginer les turpitudes de moines du Moyen-âge.

Décidément, quelle que soit la façon selon laquelle on tourne le problème, force est d'admettre que modernité littéraire ne rime pas avec modernité sociologique ou historique. Ce n'est pas parce que le premier scribouillard venu pond un roman sur le SIDA, la dévaluation de la livre sterling ou le massacre des bébés-phoques qu'il est automatiquement plus moderne qu'un autre qui évoque la Rome Antique, le Moyen-âge ou la Plantation. La littérature de la Créolité sera dépassée le jour où une nouvelle génération inventera un nouveau style littéraire, une nouvelle manière de construire le texte, cela indépendamment du contenu sociologique, historique ou psychologique des livres qu'elle aura publiés.

Car, cher Richard Burton, on peut écrire en alexandrins sur le SIDA ? Est-ce cela de la poésie moderne ?

Raphaël CONFIANT.

Modernité et Créolité :
Une manière de réponse

Je voudrais tout d'abord remercier Raphaël Confiant d'avoir bien répondu aux propos qui me sont, paraît-il, attribués par TV Mag au sujet de la Créolité, au lieu de me traiter tout simplement 'de bitaco' - sans doute le suis-je, mais pas de cette façon-là - comme l'a fait Patrick Chamoiseau dans *Une semaine en pays dominé* dont, assurément, le ton de plus en plus hargneux ne fait guère honneur à son talent d'écrivain...

Force m'est de dire, en outre, que le journaliste responsable de l'interview que j'ai faite (et dont, précisons-le, je n'ai pas encore vu le texte) n'a sans doute pas respecté, dans sa rédaction, toutes les qualifications dont j'ai entouré mes observations sur la Créolité. Je me suis vite rendu compte que j'étais en butte, à des questions tendancieuses de la part d'un adversaire évident de la Créolité, questions auxquelles j'ai essayé de parer tout en y répondant de façon à exprimer ma pensée. Manifestement, je n'y ai pas réussi, d'où les attaques dont je suis actuellement la cible de la part de deux auteurs dont j'ai toujours applaudi, de la position très marginale qui est la mienne, le 'programme' littéro-culturel que, d'une façon ou d'une autre, j'ai fait de mon mieux pour faire avancer dans le milieu anglophone que j'habite.

Franchement, je n'ai pas besoin qu'on me fasse des leçons sur les différences entre modernité sociologique et modernisme littéraire qui sont tout à fait évidentes, comme le montre très bien Raphaël dans son article. Je constate seulement, comme je l'ai fait lors de l'interview, que, sauf chez Delsham, le réel martiniquais contemporain est plus ou moins systématiquement occulté par *toute* la littérature qui s'écrit actuellement à la Martinique (et non seulement la littérature de la Créolité) et que, *jusqu'ici* (je souligne), Patrick et Raphaël se sont penchés par prédilection sur un milieu rural et urbain maintenant plus ou moins révolu dont, en soi-disant 'spécialiste' de l'histoire martiniquaise, je suis loin de sous-estimer la richesse et l'intérêt permanents : je pense même, à cet égard, que *Commandeur du sucre* est de loin la meilleure chose que Raphaël ait écrite depuis *Le Nègre et l'Amiral.*

Le problème que je me pose, que j'ai posé dans l'interview et que je repose maintenant à Patrick et à Raphaël est le suivant : est-ce qu'une littérature qui prétend exprimer le réel martiniquais dans toute sa richesse et dans toute sa complexité peut se détourner de façon permanente de la modernité sociologique au nom d'une prétendue Créolité qui, a certes existé jusqu'aux années soixante mais qui est depuis entré sinon en désagrégation terminale, au moins en transformation radicale qui porte sur son fond encore plus que sur ses formes ?

Bref, il me semble que la Martinique est actuellement une société *post-créole*, ou en train très rapidement de le devenir, et que c'est cette nouvelle situation (que, certes, Patrick au moins n'a pas négligée dans ses romans) qui exige l'exploration en profondeur dont seule est capable, jusqu'à nouvel ordre, la littérature de la Créolité. Le très évident ennui que commence à ressentir le public martiniquais devant la littérature et même l'idée de la Créolité ne proviendrait-il pas en partie du fait qu'il ne se reconnaît pas dans les personnages et les situations d'un roman tel que *L'Allée des Soupirs* qui, tout 'moderne' qu'il puisse être du point de vue de sa forme et de son style (bien que, là encore, l'on puisse avoir des réserves), évoque un monde 'pré-moderne' avec lequel seule une minorité de Martiniquais est capable maintenant de s'identifier ?

Quant à la question, que j'ai aussi soulevée, du désaccord patent qu'il y a entre la réception très positive de l'idée de la Créolité en France et l'indifférence, voire l'hostilité, qu'elle a suscitées à la Martinique, je n'ai jamais prétendu, comme TV Mag a pu le laisser supposer, que la Créolité ne serait qu'une 'création médiatique française'. Je pense seulement que beaucoup de lecteurs martiniquais sont rebutés par ce qu'ils perçoivent comme une écriture aliénée et aliénante, bourrée de néo-exotismes, sans parler de ces 'craintitudes', 'en final de compte' et 'vagabondageries' qui sont pour eux dérisoires. Ce n'est pas mon opinion à moi - mais je suis un étranger - mais c'est ce que j'entends un peu partout à la Martinique lorsque la question de la Créolité se pose. Quelle tragédie, si la meilleure littérature martiniquaise, tout comme ses meilleures plages, était destinée surtout aux vacanciers...

Je souhaite, en conclusion (et même en final de compte), un renouvellement de la littérature de la Créolité qui ne peut venir, à mon avis, que d'une confrontation avec la réalité martiniquaise la plus immédiate. Six ans seulement, après la parution de l'*Éloge*, le 'mouvement' déjà s'essouffle : je vois un début de cette nécessaire réorientation vers le contemporain dans *Bassin des ouragans* qui, tout velléitaire qu'il soit, ouvre bien plus de perspectives que l'embrouillamini - souvent génial, il est vrai - de *L'Allée des Soupirs*. Qu'on cesse, alors, de me traiter en adversaire de la Créolité quand je ne lui veux que du bien, comme le sait parfaitement bien Raphaël au moins, qui a lu - et 'approuvé' - mes récents écrits à son sujet.

Richard BURTON

BIBLIOGRAPHIE

Sauf indication contraire, le lieu de publication est Paris.

Abenon, Lucien René (1987), *La Guadeloupe de 1671 à 1759. Etude politique, économique et sociale*, L'Harmattan.

Alexis, Jacques Stéphen (1957), *Les Arbres musiciens*, Gallimard.

André, Jacques (1983), 'Le Renversement de Senglis. Histoires et filiations', *CARE*, 10, 32-51.

Bazabas, Gilbert (1984), *Marronner dans le sillage des cyclones.... Analyse critique du concept de planification*, Fort-de-France : Désormeaux.

Bellance, Hurard (1994), *La Police des Noirs à la Martinique sous l'Ancien Régime (1635-1789)*, Thèse pour le Doctorat de IIIe cycle, Université des Antilles et de la Guyane.

Bakhtin, Mikhail (1970), *L'Oeuvre de François Rabelais et la culture populaire au moyen âge et sous la renaissance*, tr. Andrée Robel, Gallimard.

Bebel-Gisler, Dany (1989), *Le Défi culturel guadeloupéen. Devenir ce que nous sommes*, Editions Caribéennes.

Bernabé, Jean (1988), 'Solibo Magnifique ou le charme de l'oiseau-lyre', *Antilla Spécial* 11, 37-41.

Bernabé, Jean, Patrick Chamoiseau et Raphaël Confiant (1989), *Eloge de la Créolité*, Gallimard/Presses universitaires créoles.

Berthelot, Jack et Martine Gaumé (1982), *L'Habitat populaire aux Antilles*, Pointe-à-Pitre : Editions Perspectives Créoles.

Bilby, Kenneth (1980), 'Jamaica's Maroons at the Crossroads. Losing Touch With Tradition', *Caribbean Review*, 9, 4, 18-21 et 49.

Boudjedra, Rachid (1981), *La Répudiation*, Folio.

Burton, Richard D.E. (1978), *Assimilation or Independence ? Prospects for Martinique*, Occasional Monograph Series, 13, Centre for Developing-Area Studies, McGill University, Montréal.

Burton, Richard D.E. (1991), 'Trois statues : le conquistador, l'impératrice et le libérateur. Pour une sémiotique de l'histoire coloniale de la Martinique', *Carbet*, 11, 147-64.

Burton, Richard D.E. (1993), '*Debrouya pa péché*, or *Il y a toujours moyen de moyenner*. Patterns of Opposition in the Fiction of Patrick Chamoiseau', *Callaloo*, 16, 2, 466-81.

Burton, Richard D.E. (1994), *La Famille coloniale. La Martinique et la Mère-Patrie 1789-1992*, L'Harmattan.

Burton, Richard D.E. (1995a), "'Nos journées de juin" :
The Historical Significance of the Liberation of
Martinique (June 1943)', dans H.R. Kedward et Nancy
Wood (eds.), *The Liberation of France. Image and
Event*, Oxford : Berg, pp. 227-40.

Burton, Richard D.E. (1995b), 'Modernité et Créolité :
une manière de réponse', *Antilla*, 620, 17 février, 29.

Cailler, Bernadette (1988), *Conquérants de la nuit nue.
Edouard Glissant et l'H(h)istoire antillaise*, Tübingen :
Gunter Narr Verlag.

Campbell, Mavis (1990), *The Maroons of Jamaica
1655-1796. A History of Resistance, Collaboration and
Betrayal*, Trenton, New Jersey : Africa World Press.

Carême-Liénafa, Monette (1994), *Femme et Mutualité à
la Martinique 1893-1993*, Saint-Estève : Les Presses
littéraires.

Césaire, Aimé (1960), *Ferrements*, Seuil.

Césaire, Aimé (1961), *Cadastre*, Seuil.

Césaire, Aimé (1982), *Moi, laminaire...*, Seuil.

Césaire, Aimé (1983), *The Collected Poetry*, tr. Clayton
Eshleman et Annette Smith, Berkeley : University of
California Press.

Césaire, Aimé (1983), *Cahier d'un retour au pays natal*
(1946), Présence africaine.

Césaire, Aimé (1989), *Et les chiens se taisaient* (1946), Présence Africaine.

Césaire, Ina (1978), 'L'Idéologie de la débrouillardise dans les contes antillais. Analyse de deux personnages-clé du conte de veillée aux Antilles de colonisation française', *Espace créole*, 3, 41-8.

Chamoiseau, Patrick (1982), *Manman Dlo contre la fée Carabosse*, Editions Caribéennes.

Chamoiseau, Patrick (1988a), *Chronique des sept misères*, Folio.

Chamoiseau, Patrick (1988b), *Au temps de l'antan. Contes du pays Martinique*, Hatier.

Chamoiseau, Patrick (1988c), *Solibo Magnilfique*, Gallimard.

Chamoiseau, Patrick (1990a), *Antan d'enfance*, Hatier.

Chamoiseau, Patrick (1990b), 'Penser créole', *Antilla* 407, 32-4.

Chamoiseau, Patrick (1992), *Texaco*, Gallimard.

Chamoiseau, Patrick (1994), *Chemin-d'Ecole*, Gallimard.

Chamoiseau, Patrick (1995), 'Une Semaine en pays dominé', *Antilla* 620, 4-5.

Chauleau, Liliane (1966), *La Société à la Martinique au XVIIe siècle* (1635-1715), Caen : Imprimerie Ozanne.

270

Clarac, René (1947), *Bagamba. Nègre Marron*, Editions de la Nouvelle France.

Confiant, Raphaël (1988), *Le Nègre et l'Amiral*, Grasset.

Confiant, Raphaël (1991), *Eau de Café*, Grasset.

Confiant, Raphaël (1993a), *Aimé Césaire. Une traversée paradoxale du siècle*, Stock.

Confiant, Raphaël (1993b), *Ravines du devant-jour*, Gallimard.

Confiant, Raphaël (1994a), *Commandeur du sucre*, Ecriture.

Confiant, Raphaël (1994b), *L'Allée des Soupirs*, Grasset.

Confiant, Raphaël (1994c), 'Questions pratiques d'écriture créole', in Ralph Ludwig (ed.), *Ecrire la 'parole de nuit'. La Nouvelle Littérature antillaise*, Gallimard : Folio.

Confiant, Raphaël (1994d), *Mamzelle Libellule*, Le Serpent à Plumes.

Crosta, Suzanne (1991), *Le Marronnage créateur. Dynamique textuelle chez Edouard Glissant*, Sainte-Foy, Québec : Université Laval, Groupe de recherche sur les littératures de la Caraïbe.

D'Ans, André-Marcel (1987). *Haïti. Paysage et société,* Karthala.

Dash, J. Michael (1995), *Edouard Glissant,* Cambridge : Cambridge University Press.

David, Bernard (1973), *Les Origines de la population martiniquaise au fil des ans (1635-1902),* Mémoires de la Société d'Histoire de la Martinique, 3.

Debbasch, Yvan (1961), 'Le Marronnage. Essai sur la désertion de l'esclave antillais' (I), *L'Année sociologique,* 1-112.

Debbasch, Yvan (1962), 'Le Marronnage. Essai sur la désertion de l'esclave antillais' (II), *L'Année sociologique,* 117-95.

Debien, Gabriel (1974), *Les Esclaves aux Antilles françaises (17e-18e siècles),* Basse-Terre/Fort-de-France : Société d'Histoire de la Guadeloupe/Société d'Histoire de la Martinique.

De Certeau, Michel (1990), *L'Invention du quotidien, I : Arts de faire,* Gallimard, Folio. (Première édition 1980).

De Lépine, Edouard (1978), *Questions sur l'histoire antillaise,* Pointe-à-Pitre : Désormeaux.

Domi, Serge (1991), *Volga-Plage. Etude sociologique. La Volga-Plage ou une ville dans la ville,* Fort-de-France : Région Martinique.

Du Tertre, R.P. (1667), *Histoire générale des Antilles habitées par les François*, Thomas Jolly.

Du Tertre, R.P. (1973), *Histoire générale des Antilles habitées par les François*, Fort-de-France : Editions des Horizons Caraïbes.

Elisabeth, Léo (1988), *La société martiniquaise aux XVIIe et XVIIIe siècles, 1664-1789*, Thèse pour le Doctorat d'Etat, Université de Paris I.

Fallope, Josette (1992), *Esclaves et citoyens. Les Noirs à la Guadeloupe au XIXe siècle dans les processus de résistance et d'intégration* (1802-1910), Basse-Terre : Société d'Histoire de la Guadeloupe.

Fanon, Frantz (1975), *Peau noire, masques blancs*, Seuil.

Fick, Carolyn F. (1990), *The Making of Haiti. The Saint Domingue Revolution From Below*, Knoxville : University of Tennessee Press.

Foucault, Michel (1976), *Histoire de la Sexualité, I : La Volonté de savoir*, Gallimard.

Fouchard, Jean (1988), *Les Marrons de la Liberté*, édition revue, corrigée et augmentée, Port-au-Prince, Haïti : Editions Henri Deschamps.

Geggus, David (1983), *Slave Resistance Studies and the Saint Domingue Slave Revolt. Some Preliminary Considerations*, Miami : Latin American and Caribbean Center, Florida International University.

Genovese, Eugene (1979), *From Rebellion to Revolution. Afro-American Slave Revolts in the Modern World*, Baton Rouge : Louisana State University Press.

Glissant, Edouard (1964), *Le Quatrième Siècle*, Seuil.

Glissant, Edouard (1964), *Le Quatrième Siècle*, Seuil.

Glissant, Edouard (1975), *Malemort*, Seuil.

Glissant, Edouard (1981a), *Le Discours antillais*, Seuil.

Glissant, Edouard (1981b), *La Case du commmandeur*, Seuil.

Glissant, Edouard (1984), *La Lézarde*, Seuil/Points.

Glissant, Edouard (1987), *Mahagony*, Seuil.

Glissant, Edouard (1990), *Poétique de la Relation*, Gallimard.

Glissant, Edouard (1993), *Tout-Monde*, Gallimard.

Hazaël-Massieux, Marie-Christine (1993), *Ecrire en créole. Oralité et écriture aux Antilles*, L'Harmattan.

Heuman, Gad (1994), *'The Killing Time'. The Morant Bay Rebellion in Jamaica*, Knoxville : University of Tennessee Press.

Hospice, Marlène (1984), *Pas de pitié pour Marny*, Fort-de-France : Désormeaux.

Hurault, Jean (1970), *Africains de Guyane. La Vie matérielle et l'art des Noirs Réfugiés de Guyane*, La Haye-Paris : Editions Mouton.

Hurbon, Laënnec (1979), *Culture et dictature en Haïti. L'imaginaire sous contrôle*, L'Harmattan.

Hurbon, Laënnec (1987), *Comprendre Haïti. Essai sur l'Etat, la nation, la culture*, Karthala.

Jennings, Lawrence C. (1988), *The French Reaction to British Slave Emancipation*. Baton Rouge : Louisiana State University Press.

Jolivet, Marie-José (1987), 'La Construction d'une mémoire historique à la Martinique : du schoelchérisme au marronnisme', *Cahiers d'études africaines*, 27, 3-4, 287-309.

Kopytoff, Barbara (1976), 'The Development of Jamaican Maroon Ethnicity', *Caribbean Quarterly*, 22, 2/3, 33-50.

Kopytoff, Barbara (1979), 'Colonial Treaty as Sacred Charter of the Jamaican Maroons', *Ethnohistory*, 26, 1, 45-64.

Labat, R.P. (1931), *Voyage aux Isles de l'Amérique (Antilles) 1693-1705*, Editions Duchartre.

Letchimy, Serge (1984), 'Tradition et créativité : les mangroves urbaines de Fort-de-France', *Carbet*, 2, 83-101.

Letchimy, Serge (1992), *De l'habitat précaire à la ville : l'exemple martiniquais*, L'Harmattan.

Louise, René (1990), *Manifeste du marronisme moderne. Philosophie de l'esthétique des artistes de la Caraïbe et d'Amérique latine. Le Métissage culturel*, Fort-de-France (?) : Editions O Madiana.

Lucrèce, Andre (1994), *Société et modernité. Essai d'interprétation de la société martiniquaise*, Case-Pilote, Martinique : Les Editions de l'Autre Mer.

Lyotard, Jean-François (1976), 'Sur la force des faibles', *L'Arc*, 64, 4-12.

Manigat, Leslie (1977), 'The Relationship between Marronage and Slave Revolts and Revolution in St. Domingue-Haiti', *Annals of the New York Academy of Sciences*, 292. *Comparative Perspectives on Slavery in New World Plantation Societies*, ed. Vera Rubin and Arthur Tuden, pp.420-37.

Moitt, Bernard (1991), 'Slave Resistance in Guadeloupe and Martinique, 1791-1848', *Journal of Caribbean History*, 25, 1/2, 136-59.

Ngal, Georges (L1973), 'L'Image et l'enracinement chez Aimé Césaire', *Présence francophone*, 6, 5-28.

Orville, Xavier (1977), *Délice et le fromager*, Grasset.

Orville, Xavier (1993), *Coeur à vie*, Stock.

Patterson, Orlando (1973), 'Slavery and Slave Revolts. A Sociohistorical Analysis of the First Maroon War,

1665-1740', in Richard Price (ed.), *Maroon Societies. Rebel Slave Communities in the America*, Baltimore : Johns Hopkins University Press, pp.246-92.

Perronnette, Hermann (1979), *Le Cas Beauregard*, Fort-de-France : Désormeaux.

Placoly, Vincent (1983), 'Biographie de Pierre-Justin Marny', *Les Temps modernes*, 449, 1063-79.

Price, Richard (1976), *The Guiana Maroons. A Historical and Bibliographical Introduction*, Baltimore : Johns Hopkins University Press.

Price, Sally and Richard Price (1980). *Afro-American Arts of the Suriname Rain Forest*, Berkeley : University of California Press.

Prudent, Lambert-Félix (1980), *Des baragouins à la langue antillaise. Analyse historique et sociolinguistique du discours sur le créole*, Editions Caribéennes.

Prudent, Félix (1986), 'L'Africanité dans la genèse créole. Science et idéologie d'un lignage', *Etudes créoles*, 9, 1, 151-68.

Prudent, Lambert-Félix (1989), 'Ecrire le créole à la Martinique : norme et conflit sociolinguistique', dans Ralph Ludwig (ed.), *Les Créoles français entre l'oral et l'écrit*, Tübingen : Gunter Narr Verlag, pp.65-81.

Pulvar, César (1956), *D'Jhébo. Le Léviathan noir*, Editions 'V'.

Richard, Jean-Pierre (1954), *Littérature et sensation*, Seuil.

Roumain, Jacques (1988), *Gouverneurs de la rosée*, Messidor.

Sablé, Victor (1993), *Mémoires d'un Foyalais. Des îles d'Amériques aux bords de la Seine*, Maisonneuve et Larose.

Sainville, Léopold (1978), *Dominque. Nègre Esclave*, Présence Africaine.

Scharfman, Ronnie (1995), '"Créolité" is/as resistance : Raphaël Confiant's *Le Nègre et l'Amiral*, in Maryse Condé et Madeleine Cottenet-Hage (eds.), *Penser la créolité*, Karthala, pp.125-34.

Spear, Thomas (1995), 'Jouissances carnavalesques : représentations de la sexualité', in Maryse Condé et Madeleine Cottenet-Hage (eds.), *Penser la créolité*, Karthala, pp.135-52.

Sy, Yaya (1990), 'Ces mangroves en péril', *Antilla* 364, 28-31.

Tanic, Max (1985), 'Modes d'habiter dans un quartier populaire de Fort-de-France : l'expérience Texaco', *Carbet*, 3, 51-63.

Vanony-Frisch, Nicole (1985), *Les Esclaves de la Guadeloupe à la fin de l'Ancien Régime d'après les sources notariales* (1770-1789), *Bulletin de la Société d'Histoire de la Guadeloupe*, 63-4.

Yerro, Philippe-Alain (1990), 'La Trace de Gani. Dialectique du Mythe et de l'Histoire dans l'approche du marronnage chez E. Glissant', *Carbet*, 10, 101-15.

TABLE DES MATIERES

281

282

Collection Lettres des Caraïbes

Julia Lucie, *Mélody des Faubourgs*, 1989.

Delpech Alice, *La dame de Balata*, 1991.

Delpech Alice, *La dissidence*, 1991.

Ponnamah Michel, *Dérive de Josaphat*, 1991.

Parsemain Roger, *L'Absence du destin*, 1992.

Catalan Sonia, *Clémentine*, 1992.

Boukman Daniel, *Et jusqu'à la dernière pulsation de nos veines* (réed.), 1993.

G. Thémia Clothilde, *La féodale. Majorine à la Martinique*, 1993.

Boukman Daniel, *Chants pour hâter la mort du temps des Orphée ou Madinina île esclave...*, 1993.

Moutoussamy Ernest, *Des champs de canne à sucre à l'Assemblée nationale*, 1993.

Jeanne Max, *Jivaros*, 1993.

Moutoussamy Ernest, *Chacha et Sosso*, 1994.

Lahens Yanick, *Tante Résia et les Dieux*, (nouvelles), 1994.

Baghio'o Jean-Louis, *Choutoumounou*, 1994.

Alcindor Joscelyn, *Cravache ou le nègre de Soubarou*, 1994.

Moutoussamy Ernest, *Aurore*, (réed.), 1995.

S Jean Zébus, *Deux et deux font quatre*, 1996

Blanchard-Glass Pascale, *Correspondances du Nouveau Monde*, 1996

Sylviane Telchid, *Throvia de la Dominique*, 1996.

Evelyne Trouillot, *La chambre interdite*, 1996.

MISE EN PAGES FOURNIE

Achevé d'imprimer par Corlet, Imprimeur, S.A. - 14110 Condé-sur-Noireau (France)
N° d'Imprimeur : 21412 - Dépôt légal : janvier 1997 - *Imprimé en C.E.E.*